ちくま新書

インドネシア

――世界最大のイス

加藤久典
Kato Hisanori

1595

インドネシア――世界最大のイスラームの国【目次】

はじめに

†インドネシアはどんな国？

インドネシアという国は日本にとってどんな国だろうか。そう考えると思い出すことがある。

北朝鮮に拉致された一人曽我ひとみさんが日本に帰国した際、北朝鮮に残された元米兵の伴侶であるジェンキンス氏と離れ離れになった。日本と国交がない北朝鮮はジェンキンス氏が日本へ渡航することを許さなかった。そのとき北朝鮮との調整を行い、曽我ひとみさんとジェンキンス氏の再会を手助けしたのがインドネシアだった。再会は帰国から約二年後の二〇〇四年にジャカルタで実現した。

インドネシアは世界各国との外交チャンネルをもっている。日本にとって、困ったときに力を貸してくれる国際社会の大切な友人なのだ。二〇二〇年に菅義偉首相が就任後最初の訪問国の一つにインドネシアを選んだことは、日本にとってインドネシアがいかに大切な国であるかの表れだろう。

スーパーマーケットで「原産国インドネシア」と書かれたエビが多く売られていることを買い物客は意識しているだろうか。日本で売られているボタン電池も、その多くがインドネシアから輸入されたものだ。一方、インドネシアを走る車の九〇%以上は日本車だ。日本のレストランやコンビニエンスストアも、インドネシアでは大変人気がある。経済的に見ても、このように日本とインドネシアは密接につながっている。

大学で学生たちに人口の多い国について聞くと、中国、インド、そしてアメリカ、と続けて答える。しかし、日本の二倍以上の約二億七〇〇〇万人を抱え、世界で四番目に人口が多い国がインドネシアであると知っている学生は少ない。二五歳から四〇歳までの世代が、全人口の実に六五%を占めるという活気にあふれる国でもある。

インドネシアの経済発展は、二〇〇〇年代になって急速に進んだ。実際に一人当たりの名目GDPは二〇〇〇年の八七〇ドルから二〇二二年には五〇四二ドルまで増加すると予想されている。インドネシアが日本にとって生産地として魅力的であると同時に、限りなく大きな市場になりつつあるということがわかる。多くの日本企業が進出し、約二万人の日本人がインドネシアに暮らしている。

†戸惑いと好奇心と世界の未来

しかしながら日本人にとって、インドネシアの文化や社会習慣などは決して馴染み深いわけではない。宗教を重んじ、独特の思想によって展開される彼らの生活に戸惑う日本人も多い。

実は筆者自身も、インドネシアに戸惑う一人だった。一九九〇年から約二〇年間海外生活を送ったが、最も長く暮らしたのがインドネシアだ。初めて訪れたのは、一年間のアメリカ暮らしを終えてジャカルタに移り住んだ一九九一年のこと。その頃は、マクドナルドもたったの一軒あるだけだった。

当時二〇代半ばの筆者は、日本では考えられないほどの広さの家に二人の使用人を雇って暮らした。現地の人との経済格差は明らかだ。しかしながら、その間の暮らしは決して楽しいことばかりではなかった。より多くの給料をもらっていることで、詐欺やスリの被害にも遭ったし、有り金すべてとパスポートを使用人に盗まれたこともあった。何よりも、インドネシア人の文化や考え方、そしてイスラームに対する態度など、わからないことだらけだった。

そんな筆者がなぜインドネシアを研究対象にして、四半世紀にもわたり関わることになったのか。急速に経済発展を遂げつつも、伝統的な生活様式や宗教が社会のあり方に影響を与えているこの国に対する好奇心が、研究活動を後押ししていたように思う。

インドネシアは、一国としては最も多いムスリム（イスラームを信仰する者）を抱えるイスラームの大国だが、シャリーア（イスラーム法）を国法とするいわゆるイスラーム国家ではない。かつては仏教やヒンズー教の王国があり、遺跡も残っている。さらに多くの民族を抱える多文化主義の国でもある。そうしたインドネシアの社会を理解することで、異なる人たちの共存や世界の未来について、何かしらヒントを得ることはできないだろうか、というのが筆者の思いである。

そのような大命題はさておき、初めて暮らし始めたときに、大いに戸惑いを感じたインドネシアが一体どのような国なのか、イスラームがどのように人々と関わるのか、といった問題を、時代の変化を見据えながら整理して考えてみたいという気持ちが強くなった。多くの日本人が注目しているのはインドネシアの経済的側面かもしれない。しかしながら、宗教をはじめとした社会や文化は、実は経済活動とも深くつながっている。

†本書の構成――イスラームを軸に

これまで筆者はインドネシアというフィールドにおいて、様々なことを体験し観察を続けてきた。それらを通して、世俗的な社会体制を支持するムスリム、それとは反対にシャリーアを国の基本に据えたいムスリムとも関わりをもつことになった。そうしたなかで、ときには「テロリスト」というレッテルを張られたムスリムとも長い時間話す機会があった。こういった「硬軟」両方のムスリムの実際の声を同時に記録し、伝えることは重要だろう。本書がその役割を果たしてくれたらばと思う。

序章ではまず、インドネシア社会の特徴、イスラーム理解を妨げる問題を提示したい。第1章では、多くの民族と宗教を抱えるインドネシアが歴史上、どのような「知恵」を駆使してこれまで存在してきたかについて、第2章ではイスラームとインドネシア土着文明との関係を原子力発電所建設に対する反対運動を例に考える。

第3章では、イスラームと政治の関連性を、第二代スハルト大統領の政権崩壊時に行ったムスリム指導者らへの聞き取りをもとに探求したい。第4章では、インドネシアにおけるイスラームの実際の姿を、信仰グループや性的少数派を紹介しながら分析する。第5章では、いわゆる自由主義的なグループと保守的なグループの教義理解や宗教的態度の違いなどを、両者との交流を踏まえて提示する。

第6章では、過激派組織イスラーム国（IS）に対して、インドネシアのムスリムたちがどのように反応したのか、またテロリズムを生む原因は何かなどについて、実際のムスリムの声を交えながら分析する。終章では、インドネシアのイスラームが宗教的寛容性という観点から、社会でどのような役割を果たしているのか、コロナ禍などの状況も踏まえながら考えたい。

また、イスラームにおいて信者（ムスリム）は、唯一絶対神であるアッラーに帰依し、自分の存在が教えによって規定されている。イスラームとはその「教え」そのものである。日本では一般的に「イスラム教」と表記されるが、専門家は「イスラーム」という言葉を使用することが多い。よって本書でも個別の書籍のタイトル以外は「イスラーム」と表記することにする。

序　章

地球の縮図
——多様性の国インドネシア

ボロブドゥール仏教寺院

†日本人にとってのインドネシア

インドネシアは、ほかの多くの東南アジアの国々と同じように、ヨーロッパによって植民地化されていた。イギリスが一時的に占領した時期もあったが、ほぼ三五〇年間オランダが支配し、一九四二年から一九四五年までは日本軍が占領、統治した。西洋にとってインドネシアは「遅れた未開文明」の地であり、土着民は無知であるがゆえに、「正しく教育され、導かれる」対象であった。

その優劣の意識によって生み出されたインドネシアに対する思いは、現代日本にも存在する。一九八〇年代、「戦後の奇跡的復興を遂げた日本に学べ」とインドネシアの隣国マレーシアのマハティール首相が、「ルック・イースト政策」を打ち出した。日本の優れた技術や勤勉さ、またその制度をも見習おうと、東南アジアの人々は日本を一つのモデルとした。その頃、NHKで放映された『おしん』は、インドネシアでも爆発的な人気を博し、日本人を表す代名詞にまでなった。それによって日本は尊敬の対象となったのだ。

このことは、日本人がインドネシア人に対して優越感をもつ大きな理由の一つになった。もちろん、日本の進んだ技術や効率のいい物事の進め方などを、インドネシアやほかの国が手本とするのなら、それは素晴らしいことだ。ただ、日本人が「優れた者」として、

「劣った者」であるインドネシア人にものを教えるのが当たり前だ、そしてその経済発展の遅れに伴い、「貧しい者に施してやるのだ」という意識をもったことも事実だろう。そうした姿勢からは、「インドネシアから何かを学ぼう」などという意識は生まれるはずもない。

しかし、インドネシアには学ぶべき多くの価値が存在する。イスラームが他宗教とどのように関わってきたのか、イスラームは人々にとって何を意味するのか、その教義と実践がどのようになされているのか、そして異なる民族同士がどのように共存しているのか。これらを考えることは、地球に生きる私たちに大いなる示唆を与えてくれるはずだ。それが、よりよい世界の創造に役に立つのではないか。インドネシアのもつ価値や、イスラームのあり方を明らかにし、それぞれの新しい「イメージ」のための準備とすることが本書の目的である。

†「イスラーム社会」と「ムスリム社会」

共産主義と資本主義の対立が続いた東西冷戦が終焉したにもかかわらず、世界ではまた二極的な対立が際立つようになった。それは、イスラーム世界と非イスラームの西洋世界の限りなく大きな隔たりである。一九九一年の湾岸戦争、アフガニスタンにおけるタリバン、九・一一同時多発テロ、それに続く世界各地での自爆テロ、イスラーム国の過激性、どれをとってもそこから人々が抱くイスラームに対するイメージは、恐怖や殺戮、暴力などと結びついてしまう。

果たしてそのイメージはイスラームの本質を反映したものなのだろうか。フランスの哲学者ガストン・バシュラールは「想像力とは常にイメージを形成する能力だと思われがちだが、想像力とは既成のイメージを変える能力にほかならない」(Bachelard2005、筆者訳)といっている。しかし、それを最大限に発揮するには様々な知識や理解が必要になってくる。現代に生きる私たちに求められているのは、まさにこの「想像力」なのではないか。

では、イスラームに限らず「宗教を理解する」とはどういうことなのだろう。キリスト教、イスラーム、ユダヤ教のように教典をもつ宗教は、その根本理念を明確に示している。仏教も、ある意味では多くの経典によってその根本理念を信者に明らかにしている。しかし、教義としての「理念」が揺るぎないものだとしても、それを受け取った者たちが常にその理念に基づいて原理的に行動しているとは必ずしもいえない。

その意味で宗教には、教義的側面と社会的側面があり、前者を「宗教理念」、後者を「宗教現象」と呼ぶことができる。「宗教」と「宗教性」といえばわかりやすいかもしれない。宗教にはこの両者が混在し、ときに補完し合い、ときに対立する。つまり宗教は、この両者を含有する有機体として理解することができる。

それを受け取った者たちの住む場所、時代、政治、経済、社会的背景によって、宗教は有機的に展開し、様々な現象として発芽する。

イスラーム研究者の片倉もとこによれば、教典に書かれた通りに実践しようとする者たちが目指すのが「イスラーム社会」だとすると、自分たちの置かれている様々な状況に応じてイスラームを柔軟性をもって実践していこうとする者が生きる社会が「ムスリム社会」だ（片倉一九九一）。

そして「宗教理念」の実践を至上の命題とする「イスラーム社会」は、ごく一部の教義に厳格なムスリムたちがその実現を目指している未完成な社会だ。先に述べた、イスラームを想像力をもって正しく理解するということは、この「イスラーム社会」と「ムスリム社会」の両者を見極め、イスラーム全体を理解するということにほかならない。

†「原理主義者」という表現の問題点

イスラームはアラビア半島において、七世紀に人類にもたらされた。そして現在では、全世界にその信者は一〇億人を超えるといわれている。その数はさらに増え続け、二〇二五年までに世界の総人口の四分の一に相当する二五億人程度に達するだろうという予想もある。

少なくとも預言者ムハンマドの時代には、「イスラーム社会」は存在しただろう。今とは比べることができないくらい小規模のコミュニティのなかで、アッラーのお告げとされた預言者の言葉は、宗教的理念として直に信者に伝えられた。しかし、それから時を経て、歴史的、文化的背景、気候や地理が異なる各地にもたらされたイスラームは、それぞれの地域で「ムスリム社会」として展開している。そして、そこにはイスラームに基づく様々な宗教現象が見られる。

「イスラーム社会」を構築しようとするムスリムは、頑(かたく)なにイスラームの教典を絶対的価値として暮らしている。こういった者たちを、一般的には「原理主義者」という括りで説明することが多い。しかし、イスラームを扱う専門家の間では「原理主義」という言葉には多くの問題があるという共通理解がある。

例えば、イスラームを専門とする社会人類学者の大塚和夫によれば、「原理主義」とは、西側諸国がイスラームに対して自らの対極にある暴力や反近代という価値を含むイデオロギーとして提出したもので、限りなくオリエンタリズムに根差した表現である（大塚二〇〇四）。また、ミルトン・エドワーズは、西側とイスラーム世界との歴史的な関係がこういったイスラーム観の出現に関係していると指摘している（Milton-Edwards2005）。

筆者自身も、現代社会においては極めて否定的な含意をもつ「原理主義者」という表現では「イスラーム社会」の構築を目指す者を正しく理解できるとは思っていない。「原理主義」という意味のfundamentalismという言葉は、「根本」や「土台」を意味するラテン語から派生したもので、本来的には、「教えに忠実であること」を意味し、必ずしも不寛容な暴力主義を意味する言葉ではないからだ。

そもそもfundamentalismは聖書の言葉を絶対視する「聖書無謬説（むびゅう）」や、キリストの再来を信じる「前千年王国説」を掲げる、二〇世紀初めに現れたキリスト教プロテスタントのグループを指す言葉であった。大塚はその意味でもイスラームに対して「原理主義」という言葉を当てはめることの不合理を指摘している。

また、イスラームを国際的視点から研究する山内昌之も「原理主義」を「教典に忠実であるということ（リテラリズム）」と理解すると、書かれた教えである教典は「イスラーム原理主義者」と「一般のムスリム」の両者が従うものであるから、厳格に教義に従う一部の者の描写にのみ「原理主義者」という言葉を使用することには限界があると考えている（山内一九九六）。では、「イスラーム社会」の構築を目指す者たちをどのような言葉で表現するべきだろうか。

†「教条主義者」

イスラーム研究者の間では、「イスラーム主義」や「イスラーム復興」という言葉が「原理主義」に代わって使われることが多い。大塚は両者について、「イスラーム主義者とは（中略）イスラームをみずからの「政治的」イデオロギーとして選択し、それに基づく改革運動を行おうとする人びと」とし、また「イスラーム復興」は、「あくまで社会的・文化的な現象」であると説明している（大塚二〇〇四）。

もちろん、「イスラーム社会」の構築を目指す者たちは、シャリーア（イスラーム法）の施行または維持という政治的な目的をもち、社会における世俗的風潮に極めて批判的で「改革」の必要性を感じている。しかし、彼らのすべてがそうした「政治的イデオロギー」を意識的に堅持しているわけではない。

インドネシアにおいては、共和制という世俗主義の政治体制を否定せず、その改革を望まないまま、日常の暮らしにおいてイスラームの教義に極めて忠実に生きようとする者も多い。例えば、インドネシア共和国には賛成するが、どんなことがあろうともハラル認証のないレストランでは食事をしたくないという者たちもいる。そうすると「イスラーム主義」という言葉が本書においては、あまりにも限定的になってしまうという危惧がある。

「イスラーム復興」という言葉であれば、大塚のいうようにそれが「社会的・文化的な現象」という意味でより的確かもしれない。ムハンマドの時代からの「復興」と理解すれば整理がつく。しかしながら、イスラームの歴史においては、法学グループがイスラームの教えを解釈してきたことなどを考えると、イスラームは教義の解釈を発展させてきたということもできる。すると、「復興」という言葉にも仮にイスラームが有機体的に存在するとするならば、違和感を覚えざるを得ない。

そこで筆者は、本書においてはイスラームの「原理」や「教義」に忠実であろうとする人々、つまり社会状況や地域的特殊性を考慮し大胆に教義を解釈することを頑なに拒否する人々を描写する場合に、最も適する言葉として「教条主義者」を使用しようと思う。

ただ、文脈上、教えの根本という意味で「原理」や「原理的」という言葉は使用する。『広辞苑』によれば、「教条主義」は「理論や教説に述べられている命題や原理を絶対的なものと考え、当面する状況や具体的な諸条件を吟味せず機械的に適用する態度」と定義されている。教条主義は、これまでも「マルクス主義やほかの理論や教理に対する無批判な信奉者」という意味で理解されることもあったが、少なくともオリエンタリズムによる西側からの一方的なイスラーム判断とは異なる言葉だと筆者は考えている。

†多文化主義の大国インドネシア

インドネシアは、人口の約九割がイスラームに帰依し、一国としては世界で最多のムスリムを抱える。その人口の多さもさることながら、一万三〇〇〇以上の島々からなる世界一の群島国家でもある。国土の広さはヨーロッパ全体にも匹敵する。また、その広大な国に居住する民族の数は数百を超すともいわれている。

歴史上数々の王国が存在し、第二次世界大戦後まで一つの国家としてまとまることはなかった。それはつまり、インドネシアはそれぞれの民族が伝統と慣習をもつ多文化主義の大国でもあるということだ。

例えば、国内最大の民族であるジャワ人の使うジャワ語はサンスクリット語の影響を受け、マレー語を基調とする共通語バハサ・インドネシアとは大きく異なる。一つの国のなかで異なった言語が存在するというのは、日本人にとっては理解しがたいだろう。「ありがとう」という言葉は、ジャワ語では「マトゥルヌウン」、バハサ・インドネシアでは「トゥリマ・カシ」といったように、似ても似つかない。

インドネシアはイスラームの国として認知されているが、イスラーム伝播(でんぱ)以前はヒンズー教、仏教が広く信仰され多くの王国が栄えていた。なかでも仏教王国であるシャイレンドラが八世紀に建立（こんりゅう）したというボロブドゥール寺院は、単体の寺院としては世界最大、最古だといわれている。

九層からなるこの寺院の回廊の壁面には仏陀（ぶっだ）の生涯が描かれ、石造りの仏像が四方八方を見渡すように鎮座している。この壮大な建築物を見ると、シャイレンドラ王国がいかに大きな権力をもち、また仏教が人々に大きな影響を及ぼしていたのかがわかる。人々の信仰、そして王の政治力と財力が結合した結果、ボロブドゥール寺院が生まれたのだともいえる。

しかし、イスラーム以前のインドネシアでは、ヒンズー教や仏教だけが人々の信仰生活を支えていたわけではない。自然に神性を見る精霊崇拝の伝統も、インドネシアでは根強い。例えば、山に宿る神、海に住む女神などに対する畏敬の気持ちは、インドネシアの伝統でもある。このように独特な歴史的、地理的、文化的特徴のあるインドネシアという地域社会に、イスラームはもたらされた。

そこには、インドネシアの独自性に基づいた様々な宗教実践があり、多くの「宗教現象」が見られるようになった。「インドネシアのイスラームは中東のイスラームとは異なる」、とはよくいわれるが、それも実は宗教のあり方としては、至極当たり前のことだ。仏陀が存命中の原始仏教が現代の日本の仏教と寸分なく重なることはない、ということと同じである。

†地球の縮図としてのインドネシア

イギリスの作家V・S・ナイポールはインドネシアを「半改宗の国」(ナイポール二〇〇二)と描写したが、宗教において完璧な「改宗」は極めてその実現が難しい。つまり「理念」と「実践」の間には程度の差こそあれ、必ず「距離」が存在するということだ。それを無理に実現しようとすると、前者を押し通そうとする者たちの暴走が始まる。それは、宗派間の争い、他宗教への攻撃、また暴力的破壊行為となって現れる。

しかし、本来的な「理念」を正しく理解していれば、テロリズムに代表される暴走行為は起きるはずがないのだ。「理念」そのものを歪曲(わいきょく)して理解したり、政治的な意図によって教義を都合のいいように解釈したりすることが、宗教に関わる負の現象を生み出す。イスラームには、このことが顕著に当てはまる。ところが、そういった負の現象がメディアを通じて伝えられれば伝えられるほど、「イスラームは危険である」というイメージばかりが膨らんでいく。

多種多様な民族と文化、信仰の重層性、「教義」と「実践」のせめぎ合いなどを考えると、インドネシアはイスラーム理解に関して極めてユニークかつ重要な位置を占めているといえる。シャリーアを導入しているアチェ特別州は例外だが、婚姻など一部の分野を除きシャリーアを国法として定めず、言語さえ異なる多くの民族、そして異なる宗教が共存している。歴史上、政治的要因で起きた小規模の衝突はあるものの、各宗教がそれぞれを脅かすことなく調和的に共存してきた。インドネシアでは、「トーレランシ」（寛容）という言葉が頻繁に聞かれる。異なった者が否定し合うことなく共存する、という哲学がインドネシアには根づいている。

「郷に入っては郷に従え」ということわざがある。それぞれの地域の文化や生活様式を尊重するという考え方から生まれたのだろう。日本や欧州、北米、南米、アジア、アフリカ、それぞれの地域に個別の「郷」は存在する。そこには固有の文化や生活様式があるだろう。それは否定されるべきものではない。ただ、人類を地球規模で考えた場合、「郷」とは何かと問う必要がある。すべての人間は、いってみれば地球という「郷」に存在している。科学技術の進歩によって情報伝達、人やモノの移動が地球規模で可能になり、各地域の「郷」を超える地球規模の「郷」が出現したといってもいい。

だとするならば、その地球というコミュニティにおいて、従うべき共通の生活様式とは何だろうか。異なる民族、異なる宗教、異なる考え方をもった人々が存在するこの地球で、我々はどのようにあるべきなのか。そう考えるとき、私たちはインドネシアの重要性を改めて認識することになる。これまで述べたようなインドネシアのもつ社会的・文化的多様性は、まさに地球の縮図でもある。インドネシアについて知ることは、これからの世界全体のあり方を考えるヒントにもなるのではないか。

第１章

多文化主義への道
——五つの建国理念

初代スカルノ大統領（1950年、©Everett Collection／アフロ）

†国境がもたらしたもの

以前、マレーシアの国立博物館で「パレンバンのクリス（剣）」と説明書がついた展示を見たことがある。パレンバンとは、六世紀の終わりから十四世紀にかけて栄えた仏教王国シュリヴィジャヤがあったとされるインドネシアのスマトラ島の町であり、マレーシアの町ではない。なぜ他国の文化遺産が国立博物館に展示されるのか、と訝（いぶか）しく思う人も多いだろう。また、二〇〇七年にマレーシア政府が観光促進キャンペーンのために伝統的な歌を使った際に、インドネシア政府が「その歌はもともとインドネシアの文化遺産である」として抗議し、外交問題にまで発展したこともある。

なぜこのようなことが起こるのか。何百年も前、各王国の勢力の範囲は緩やかに認識されていたにすぎず、そこに国境が引かれたのはつい最近のことだからだ。統一言語もなく、古代王国には異なる民族が混在していた。しかしながら、第二次世界大戦後インドネシアは独立国として、共和制のもとに国づくりを始めた。古代国家の時代には「同じ王国の仲間」であったマレーシアとは「別の国」になったが、共和国内にも異なる文化、民族は多く存在しており、常に分裂の可能性を秘めていた。

現代のインドネシアにとって、共和国体制の維持と発展、つまり異なった民族や文化をまとめ上げることは必須課題である。しかし、共和制の維持は、言語の統一や軍隊の創設、全国共通の教育制度だけで可能となるものではない。そのほかにもインドネシアは、日々の暮らしのなかで異なった者同士の軋轢(あつれき)を避け、国民として共有できる理念によって共同体意識を醸成するために、様々なインフォーマル、フォーマルなシステムをつくり上げた。それは、いわば共存のための「知恵」ともいえる。これらを知ることは、インドネシアを理解する第一歩になるのではないだろうか。

本章では、そういうった「知恵」とは具体的に何か、そして歴史的にどのようにつくられてきたのか、その意味は何なのかについて考えてみたい。

†国章に見る多様性を生きる知恵

インドネシアの国章には、古代インドに起源をもつ神鳥ガルーダを中心に、インドネシアのあり方を説明するにふさわしいシンボルが巧みに配置されている。

まず、仏教においては仏陀を表し、ヒンズー教の神ヴィシュヌを運ぶ鳥として知られているガルーダは、イスラーム以前の文明の重要さを物語る。ガルーダのもつ羽根は両翼に一七枚ずつ、尾には八枚、首には四五枚描かれている。これらは「一九四五年八月一七日」、つまりインドネシアが太平洋戦争終結時に自ら独立を宣言した年月日を表している。

それはこの国が現在採用している共和国体制を重要視していることを意味する。つまり、シャリーアを国法としない世俗性が国家の揺るぎない基礎として維持されているのだ。

さらに、このガルーダは、「多様性のなかの統一」を意味する「Bhinneka Tunggal Ika（ビネカ・トゥンガル・イカ）」と書かれた横旗をしっかりと両足で握っている。この言葉は、インドネシアにおける最後の仏教・ヒンズー王国であるマジャパヒトの時代、一五世紀に生きた詩人エンプ・タントゥラーがその作品のなかに書き記したもので「それらは異なるが、それらは同じである」というのが原意である（プラムディア二〇〇七）。

インドネシアの国章に見られる「ビネカ・トゥンガル・イカ」のシンボル

インドネシアは、「多様性のなかの統一」を国家のモットーに据え、その多民族性、多文化性を維持しながら、異なった者同士が共存することを高らかに宣言している。そこには、多数派であるイスラームのみを強調する姿勢は見られず、多数対少数という近代社会には当たり前の概念を超える知恵を見ることができる。

また、インドネシアでは、物事を決める際に「ムシャワラ」と呼ばれる合議制を採用することがある。それは多数決ではなく、参加した者のすべての意見を集約して話し合いで物事を進めるという姿勢だ。そこには、相手の意見を理解し咀嚼（そしゃく）すること、相手との妥協点を見出すこと、全体と個の利益と不利益を賢く判断し調整すること、数による少数派の排除を避けようとする姿勢がある。

その過程では極めて成熟したコミュニケーション能力と判断能力が求められる。究極的な判断を避け、その過程を継続させるということもある。その間は、少なくとも異なる意見の者同士の決定的な対決を避けることができる。つまり力と力による決着を延期することが可能になるのだ。

†「ティダ・アパアパ」の精神

こういった態度は、大きなコミュニティ単位だけでなく、個人の人間関係を含めたインドネシア社会の至るところに、しばしば見出すことができる。近代社会の常識に慣れてしまった者は、それを「あいまい」「優柔不断」または、「非民主的」として退けてしまう傾向がある。しかし、一見「非文明的」とも思われるこのような態度は、実はインドネシアの歴史や多民族のせめぎ合いなどから生まれてきた「知恵」であるともいえる。日本人を含めた欧米人が感じるインドネシア人の「いい加減さ」は、異なった者や少数派に対する寛容性の裏返しでもあるのだ。もちろん、島国として長年の交易の歴史が、外国人という異質な者を比較的抵抗なく受け入れる国民性をつくりあげることに貢献したことは確かだ。だが、それにも増して、世界一の多民族国家であるという事実が、インドネシアの寛容性を生み出した。

日常生活のあらゆる場面で使われる「ティダ・アパアパ」という言葉は、「問題がない」ということを意味する。多くの外国人にとってこの「ティダ・アパアパ」はインドネシアの「いい加減さ」「後進性」を象徴する言葉と理解されていることが多い。しかし、文化的慣習や生活様式、言語さえ異なる各民族の衝突を避けるためには、自らの民族性を他者に強制せず、相手のあり方をそのまま受け入れることが必要になってくる。その一つの象徴的な宣言が「ティダ・アパアパ」なのだ。

相手を否定することなく、究極的な対決を避ける。そこから後のことは、徐々にまわりとの関係性を考慮しながら進めていく。多数決や既成の規則によって進められる意思決定の過程に比べれば時間がかかるが、そこには柔軟性や共存の精神がある。こういった他者との関わり方は、対立や紛争に明け暮れるこの世界に重要な示唆を与えてくれる。

「ティダ・アパアパ」がある社会というのは、何もかもが明確に決められる社会よりもはるかに暮らしやすい。もちろん、時間を正確に守らなかったり、約束を破ったりするときに「ティダ・アパアパ」を言い訳にして済まされてしまうことも多い。これは、本来的な「ティダ・アパアパ」の精神を自ら都合のいいように利用しているにすぎない。ただ、あくせくしない時間、対立しない人間関係、他者を認める態度は、社会にゆとりをもたらし、精神の緊張をほぐす。

また、インドネシア語には、「ナンティ・バガイマナ」と「バガイマナ・ナンティ」というよく似た表現がある。前者は「後でどうなる?」という意味で、後者は「後にしたらどう?」という意味だ。日本人は常に、もしこれを今やらなければどうなる、つまり「ナンティ・バガイマナ」と考え、インドネシア人は今やらなくても後回しにしたらいい、「バガイマナ・ナンティ」と考える。

この二つの表現を冗談にしてインドネシア人は笑う。もちろんいい加減さが生む様々な弊害もあるのだが、「ティダ・アパアパ」や「バガイマナ・ナンティ」の精神は、生きることへの余裕や他者を許す心を生む。これらは常に人々が急ぎ、精神的に抑圧された状態が日常となった日本が、インドネシアから学ぶべき点でもある。

†パンチャシラの精神――五つの建国理念

「ティダ・アパアパ」がインフォーマルなインドネシア多文化社会の「知恵」だとしたら、

フォーマルな「知恵」としてインドネシア社会に根づいているのが「パンチャシラ」だろう。「パンチャ」はサンスクリット語で「五」を意味し、「シラ」は「原則や徳目」を意味する。つまり、「国家の五原則」だ。インドネシア共和国の建国を五つの理念として表している。その五つとは、①唯一神への信仰、②人道主義、③インドネシアの統一、④民主主義、⑤社会正義である。

このパンチャシラには、インドネシア建国の父である共和国初代大統領スカルノの思想が反映されている。歴史的に見ると、終戦間近の一九四五年六月に開かれた独立準備委員会でスカルノがその理念を提唱した。しかし、実際には独立後の国家体制について諸宗教の代表者を含めた委員の間で対立を生むことになる。連邦制か共和国制かという問題に加え、ムスリムが多数を占めるインドネシアにおいては、イスラームを国教としてシャリーアを導入すべきであるという意見もあった。

しかし、スカルノが望んだのは、各地域の独立性が優位となる連邦制でもなく、イスラームを根本理念とする宗教国家でもなかった。国家の統一をより重視した共和制を敷き、かつ多様な民族と宗教を共存させる世俗国家を打ち立てることをスカルノは目指した。しかし、この段階でスカルノはイスラームの政治的影響力の拡大を望むムスリムたちを完全に拒否することができず、妥協案を生むにいたった。それは、憲法の条文に「ムスリムはシャリーアに従う」と明文化すること、大統領と副大統領はムスリムとする、ということだった。いわゆる「ジャカルタ憲章」である。

ところが、この「妥協案」は実際に憲法が発表された一九四五年八月一八日には、両方とも削除されていた。少数派であるキリスト教勢力の反発があり、共和国への参加を見合わせるという動きがあったからだ。

「ムスリムがシャリーアに従う」とする七語（dengan kewajiban menjalankan syari'at Islam bagi pemeluk-pemeluknya）が削除されるという、イスラームを社会の中心に据えようとする者にとっては屈辱的な出来事は、その後の「ムスリム強硬派」の活動の動機として大きな意味をもつようになった。パンチャシラの宣言は、裏を返せばムスリムが絶対的多数を占めるインドネシアで、他宗教との共存を目指すという壮大かつ重要な試みだったともいえる。イスラームの教義からすればシャリーアは制度として従うべきものだが、インドネシア社会という世俗国家のなかでは非公式化されるという、二律背反的な理念と実践のあり方をここに見ることができる。

†唯一神の意味

多様な民族とイスラーム以前の文明が根強く残る現実を見据えて編み出された共存のた

めの知恵がパンチャシラだったが、特にインドネシアの国としての方向性を決定づけたのがその最初に謳われている「唯一神への信仰」(Ketuhanan Yang Maha Esa) である。"Esa" には「唯一」という意味があるので、唯神教であるイスラームやキリスト教はパンチャシラの第一原則を問題なく受け入れた。

それに対して、仏教やヒンズー教のような多神教を信仰する者たちも、このパンチャシラを拒絶することはなかった。それが仏陀であれ、またはヒンズー教の最高神であれ、何かしらの「神」を崇めるということで、宗教的に多様で、イスラームが支配的なインドネシアにおいて共存する道を開いた。

ここにも、インドネシア社会の「柔軟性」を見ることができる。そして、何よりも異なった者を受け入れる寛容性が根強い伝統として存在している。それはつまり、人々が教義を理念として貫徹するよりも、現実的状況のなかで教義と実践の折り合いをつけることに価値を見出してきたことの証でもある。

アッラーへの直接的言及がないパンチャシラの「唯一神への信仰」を、イスラームの理念を原理的に実行したいと思う者は受け入れることをためらう。しかし、現在インドネシアにおいてパンチャシラは、多くのムスリムにも受け入れられており、国是としての認知を不動のものにしている。また、一見イスラームの原理と相反するようなパンチャシラを、市井のムスリムたちが受け入れられるように教義を説明する者もいる。その代表的な人物は前最高裁判所判事で、長きにわたり「法の番人」として多くの国民の信頼を得てきたビスマル・シレガーだ。

二〇一二年に亡くなったこの法律家は、パンチャシラの「唯一神への信仰」こそがイスラームの本質を最も体現しているという。それは、コーランの「宗教に無理強いがあってはならぬ」(第二章二五六節)という精神で、異教徒にとっては彼ら自身の神があり、ムスリムにはアッラーがあるという大原則は変わりなく、あえて「アッラー」と書かれていなくても、ムスリムはアッラー、異教徒はそれぞれの神を信じればいいというものだ。

多民族で宗教・文化の多様性を背景としてもつインドネシアにとって、パンチャシラは世俗の価値と宗教の価値を併せもつ理想的な思想だという。「共和国」という世俗の体制を維持しつつ神を崇める態度こそが最も適しているというのがシレガーの根本思想であるが、この考え方は現在、恐らく大多数のインドネシア人が支持するものだろう。

†調和の源

シャリーアの導入を主張するムスリムたちが異口同音に嘆くのは、インドネシア社会にはびこる倫理観の欠如や犯罪の増加、信仰心がないがしろにされたデカダンス(退廃)の社会状況だ。それを改善するには、イスラームの根本的理念であるシャリーアが何よりも必要だと彼らはいう。

しかし、その一方で宗教的なシャリーアの対極に位置するパンチャシラは、「宗教理念的」とも「世俗的」とも断じきれないあいまいさをもって、インドネシア社会においてその機能を果たしているように思われる。ムスリム個人の倫理観を鼓舞する力がパンチャシラにはある、というのがいわゆる「ムスリム社会」の住人たちの考えである。前述のシレガーは「自己を愛するように他者を愛せ」という原則がイスラームの教えの柱であって、パンチャシラの精神、つまり「他者の宗教を尊重する」という態度こそがムスリムとしての倫理観を生み、より調和のとれた社会の実現に寄与すると考えていた。

三〇年以上にわたり独裁政治を行ったスハルト前大統領を、結局インドネシアは司法により断罪することはなかった。「スハルトの独裁を許してきたムスリム学者や民衆にも責任はあるのであって、スハルトを裁くべきではない」というシレガーの主張は当時批判も浴びた。だが、アッラーのみが人を罰することができるのであり、罪悪に関しては個人が一人のムスリムとして内面的自己に向き合うべきである、というシレガーの考えは、結局はシャリーアを国法としない社会の構築に大きな精神的影響を与えたように思われる。

また「社会正義」や「人道主義」はイスラームとも呼応する理念だが、西欧的「民主主義」や世俗国家としての「インドネシアの統一」は、「イスラーム社会」を実現しようとする者にとってはそのままは受け入れがたいところだ。

人々がカリフを選び、罷免することができる制度をしっかり守れば民主主義は成り立つと主張する者もいる。しかしながら、イスラームの根本理念はやはり「神政政治」である。そして国家や民族を超える理念としてイスラームのウマット（「イスラーム・コミュニティ」の意でアラビア語では「ウンマ」）がある。「イスラーム社会」は、インドネシアという一国家の統一を重視するよりも、国籍や民族を超えたムスリムの連帯に重きを置くのだ。

†パンチャシラの受容

実際、一九六六年から三二年間続いたスハルト時代にも、パンチャシラをめぐっては、いわゆるジャカルタ憲章の復活を求めるムスリムたちと政府の間に軋轢があった。政府は、一九七八年には正式に教育カリキュラムにも「パンチャシラ倫理教育」を導入し、一九八五年には宗教団体を含む国内すべての団体がパンチャシラを唯一の理念とすることを法制化した。

スハルト大統領が国内への西側諸国の投資を促進し、世俗化を進めたというのが政治的な背景である。その際には、ムスリム学生団体がパンチャシラの受け入れを拒否し活動停止の処分を受けている。また、後述するが、インドネシアにおける二〇世紀初頭のイスラーム改革運動にその起源をもつ、国内第二の会員数を誇るムハマディヤは、政府の決定に諸手をあげて従うことにためらいがあった。しかしながら、ムハマディヤも最終的にパンチャシラを受け入れることは「オートバイに乗る際にヘルメットを被るようなもの」と考えて、政府の方針に従ったのだった。

その一方で、イスラームの純粋性を求める傾向にあるムハマディヤに対して、土着文化にも寛容だといわれている、国内最大の規模を誇るナフダトゥル・ウラマ（「ウラマの覚醒」を意味し、通称NU）は、法制化より前の一九八三年には、パンチャシラを団体の理念として受け入れることを決定している。パンチャシラは初代大統領スカルノの時代に、多民族・多宗教の新たな国インドネシアをかたちづくる過程で大きな役割を果たし、スハルトの時代には経済開発を進めるうえで重要な理念として機能したのだ。

そして同時に、パンチャシラの法制化はインドネシアのウマットが統一されていないことをはからずも明らかにした。ムスリムに対するシャリーアの強制的適用を退けるパンチャシラを問題なく受け入れる者、現実的に生き残るために躊躇しつつ受け入れる者、そして受け入れを断固拒否する者、それぞれの存在を顕在化させたのだ。

一番最後の「拒否する者」たちは、スハルト政権の弾圧を受け投獄されるか、または亡命する道を選ばざるを得なかった。このムスリムたちが、スハルト政権崩壊後にインドネシアに戻り新たな運動（第5章参照）を展開することになる。

しかしながらこれらの過程を経て、パンチャシラは第一原則を含めて、社会における緩やかな個人の規範として概ねインドネシアのムスリムたちに受け入れられたといっていいだろう。それは、インドネシアでは、いまだにイスラーム以前の文明の土壌が消えていないということの証でもある。寛容性を是とする彼らの態度は、インドネシアに数多く残る仏教やヒンズー教の遺跡を見ればおのずと理解できるのではないだろうか。

†ボロブドゥールの重み

一九八〇年代には、スハルトが絶対的権力者として隆盛を極めていた。安価な労働力を外国資本に提供して多くの投資を呼び込み、スハルト一族が多くの国家プロジェクトに関わり莫大な富を蓄えていた頃、インドネシアで衝撃的な事件が相次いで起こった。

それは、一九八一年のイスラーム過激派による国営ガルーダ航空機のハイジャックと一九八五年に起きたボロブドゥール爆破事件だ。インドネシアの文明の重層性の象徴ともいえる仏教遺跡であるボロブドゥールが攻撃の対象になったことは、多様な宗教や文化に対する寛容性を誇りとしてきたインドネシアに大きなダメージを与えた。ムスリムが多数派を占めるインドネシアにおいて、一部の心無い過激派たちが異宗教の遺跡を破壊しようとしたことは、言葉を換えていえばボロブドゥールが「多様性のなかの統一」の象徴でもあるということだった。

さらに当時のインドネシアの社会状況を突き詰めて考えると、西側の先進諸国と〝協力〟して推し進められたスハルトの開発経済政策によって巨大な富を築いた、非ムスリムである華僑の存在が、「イスラーム社会」の実現を目指すムスリムに大きな不満を抱かせる要因にもなっていたことがわかる。

では、インドネシアの宗教史、またその文化的多様性という点においても大きな意味をもつボロブドゥールとは一体どのような遺跡なのであろうか。各回廊を巡りながら最上部の円壇に上り詰めると、ボロブドゥールの中心に位置する仏塔を見ることができる。小高い丘に空に向かって建てられたこの遺跡が、一体何のために建設されたかということは実際わかっていない。ボロブドゥールを建立したシャイレンドラ王国の王家の墓として建てられたという説が有力だが、遺骨などは発見されていない。ジャワではヒンズー教や仏教の影響を受け七世紀頃から盛んにチャンディと呼ばれる寺が建てられているが、ボロブドゥールはそのなかでも最大規模のチャンディだ。

ボロブドゥール遺跡

†文明の重層性

　巨大な建造物であるボロブドゥールを眺めると、いくつかのことがわかる。まず、シャイレンドラ王国の権力の強大さだ。ボロブドゥールの建設には、三人の王が関わり完成までに七五年を費やしたといわれている。これだけの大工事を可能にした当時の王国の政治力が揺るぎないものだったことをうかがわせる。

　次に、人々の仏教に対する信仰の篤さだ。シャイレンドラ王国の権力が民の労働を可能にしたとしても、実際に建設に携わった者たちがこの仏教の象徴ともいえるチャンディに対する強い思いをもたずして完成は不可能だっただろう。近隣の山から安山岩を切り出し、それを運搬して正確に積み上げ、四〇メートルを超える高さの建造物をつくったその技術力も忘れてはならない。各回廊に彫られたレリーフもその表情の豊かさは、技術力と芸術の質の高さを物語っている。

ボロブドゥールを見るとき、「半改宗の国」について思わずにいられない。つまり、インドネシアの大地には幾層にも文明が重なり、イスラームがその最上層にある。国民の約九割がムスリムだとしても、彼らはイスラーム伝播以前の文明を忘れ去ることはできないのだ。

そう指摘すると、インドネシアのムスリムは言下に「自分たちは正しいムスリムだ」と否定するかもしれない。だが、文明の重層性のなかで生きるインドネシアの人々は、無意識にイスラームとは本来的に異なるものを受け入れる土壌をもっているといっていいだろう。それは、ボロブドゥールを完成させた高度な文明社会が存在していたジャワでは顕著な傾向だ。

ジャワ文明の研究者である染谷臣道によれば、建築途中に何らかの理由で隠されてしまったボロブドゥール寺院の最下段の部分に、大きな意味を見出すことができるという。その「隠れた基壇」には、地獄や天界をモチーフとしたものよりも「施し」の行為を描いたレリーフの方が多いという。そこには、物質文明の収奪性を緩和するメッセージがあると染谷は指摘している（染谷二〇一三）。それは、現代社会に対する警鐘であるのかもしれない。

第２章
土着文明とイスラーム
――反原発運動と信仰

ジョグジャカルタ北方にある聖なる「ムラピ山」

†不合理性の効力

中部ジャワの古都ジョグジャカルタの郊外に、インド洋に面したパラントゥリティスという海岸がある。そこを初めて訪れたときに、あるインドネシア人の友人が、「この海にはラトゥ・キドゥルという女神が住んでいて、泳いでいる人間を海に引き込んでしまう」という伝説を教えてくれた。「だから、この海で泳いではいけない」というのだ。

砂浜は美しく風光明媚（ふうこうめいび）なのだがかなり波が荒く、危険な海だということはすぐにわかった。ならば、遊泳禁止としてそれを人々に周知すればいいではないか、と思ったのは日本から来た「合理性」を重視する筆者だった。

インドネシア人たちは、規則ではなく伝説に従って遊泳を控える。それを「不合理」だとして退けるのは、見えないことや迷信を認めない近代人たちだろう。科学技術が進歩するにつれて、その傾向は強くなっている。だが、長年の暮らしのなかで培われた伝承や伝統を非科学的としてすべて否定してもよいものだろうか。

ラトゥ・キドゥルの伝説を信じている者の多くはムスリムたちである。こういった類の伝承はイスラームの教義では認められていない。だがここにも「ムスリム社会」の存在を見ることができる。つまり彼らは、イスラームの本来的な教えと自らの行いに折り合いをつけて日々暮らしているのだ。

インドネシアでは、「不合理」「非科学的」と思われるような考え方や行動を頻繁に見聞きすることがあるが、それらは往々にして地方の伝統から派生していることが多い。インドネシア最大の民族であるジャワ人は、長年培ってきた独特の文明をもっている。それは特に中部ジャワのジョグジャカルタを中心とした地域に顕著だ。そういった古代から続く文明は、私たちが直面する現代社会の諸問題に対して、近代人がもっていない視点で解決の糸口を提示してくれるかもしれない。

そこで本章では、ローカルな文明における近代化と伝統についてイスラームにも目を向けながら、現代社会において人類が直面する民主主義のあり方や原子力発電などを例として考えていきたい。

†ジャワ文明

ボロブドゥールに代表されるように、インドネシアにはイスラーム伝播以前の宗教や慣習が、脈々とした伝統として、現在も社会のいたるところで人々の生活と密接に関わっている。文化と文明の定義はそれぞれだが、ここでは文化を「より細分化された生活様式や行動様式」、文明を「思想を含めたより広範な文化の集合体」と考えることにする。インドネシアにおいてイスラーム以前の文明が根強く残っている。

　ただそのことで、インドネシアにおけるイスラームの純粋性が低いという判断を下すのは性急すぎる。確かに、ムハンマドの時代の宗教理念とは乖離（かいり）していると思われる現象もある。ただ、前述のようにイスラームに限らず宗教には理念的な要素と信者たちの行動による現象という要素がある。

　宗教を有機体として捉えるとわかりやすい。インドネシアにおけるイスラームは、理念を維持しつつ地域的な特徴を生かしながら発展を続けてきた。それもまた一つのイスラームの一つのあり方である。

　なかでも、かつていくつかの仏教・ヒンズー王国を抱えていたジャワに残る文明とイスラームの関係は、まさにインドネシアの地域性を際立たせている。特に八世紀に古マタラム王国が栄えた中部ジャワのジョグジャカルタでは、インドネシアの地域的イスラーム現象を顕著に見ることができる。ジョグジャカルタ特別州は現在でも、非宗教的な権力を委任された支配者であるスルタンが知事を務めている。しかも、それは世襲制で選挙民によって選ばれるわけではない。

　この世襲制については、これまでにも幾度か「非民主的」ということで改革の動きもあったが、そのたびに住民の反対にあって、結局スルタンが知事になるという伝統は今も続

スルタンの玉座

いている。最近では、第六代のユドヨノ大統領が二〇一〇年にジョグジャカルタ特別州の知事を選挙によって選ぶことを提案したが、町を埋め尽くした住民のデモが圧倒的に現行制度を支持したため、「改革」は成功しなかった。

何がこの前近代的ともいえる世襲制度を支えているのだろうか。それには、ジャワに残る文明的概念が大きく関わっている。まず理解しなければならないのは社会におけるスルタンの位置である。ジョグジャカルタの北方には「聖なるムラピ山」という活火山があり、北は聖なる場所で、南に行けば行くほど穢(けが)れた世界になるという考え方がある。

北と南にはそれぞれ精霊（roh）の居住地である「宮廷」（クラトン）があると信じられている。そしてその中間に現在のスルタンが住むクラトンがあり、見えない線で聖なるムラピ山とまっすぐに結ばれているという。現にスルタンの玉座はムラピ山に向けて据えられている。

現在のスルタンは南北に住む精霊とコミュニケーションを取ることができる特別な存在なのだ。そして南北の精霊は、スルタンが困難に直面した際に援助をする存在でもある。アッラーの唯一性（tauhid：タウヒード）を信じ、ムハンマドをアッラーから教えを与えられた最後の預言者とするイスラームの宗教的理念からすると、こうしてスルタンが超人的な能力をもつことは受け入れられないはずだ。

しかしながら、豊かではあるが、ときに火山噴火や地震、大雨という強大な力を見せる自然と共に生きてきたジャワの人々が、自らの生活により近い場所での「救済者」を求めることは不思議ではない。

もっとも、イスラームにおいても「ジン」と呼ばれる精霊の存在は認められているので、ジャワの伝統がイスラームに影響されているともいえるだろう。イスラームにおけるジンは、人間と同じようにムスリムのジンと非ムスリムのジンに大別される。前者は善良な存在であるが、後者は人間のムスリムが非ムスリム的行動をするように促す邪悪な存在、つまり「サタン」であるという。

アルン・アルンと呼ばれる広場

†スルタンの役割

スルタンは社会においてどのような役割を担っているのか。伝統的な宮廷行事やいくつかのシンボリズムによって理解することができる。例えば、ジョグジャカルタのクラトンの正面には「アルン・アルン」と呼ばれる広場があり、左右にはそれぞれ大きな木が植えられている。

玉座から見て左側は聖なる世界で、右側は俗なる世界と考えられている。クラトンの正面からその広場を見渡すと、左にはモスク（イスラーム礼拝堂）、右には、ジョグジャカルタでも有数の規模を誇るブリンハルジョ市場がある。その聖俗のバランスをとるのが玉座に座るスルタンである。つまり、ジョグジャカルタの伝統では、精霊とのやり取りという聖なる所作と、政治という俗的な仕事の両方をスルタンがこなすことは何ら不思議ではなく、むしろ必然であるのだ。

イスラームの伝統では、イスラーム共同体である「ウマット」の指導者カリフが存在するが、スルタンもその影響を受けていることは確かだ。しかし、中部ジャワのジョグジャカルタのスルタンに聖なる役割をもたせ、ある意味超人的な存在として認めることは、ジャワの神秘主義や精霊崇拝などの影響が強く反映されている。それに対しカリフはあくまで人々から選ばれた代表であり、超人的な能力をもち合わせているわけではない。

ジョグジャカルタでは、スルタンに対する人々の敬意が深い。それは、スルタンが人間を平等に扱い、弱者を守り救済する者である、という認識が広く共有されているからだろう。実際、二〇一〇年の知事選挙実施計画に反対する大衆行動の際には、決して富裕層ではないベチャ（人力の三輪タクシー）の運転手たちが半旗を掲げて抗議した。全国的には廃止される傾向にあるベチャを、スルタンは運転手の生活を考慮して廃止しないという方針を堅持している。そのため運転手たちは、スルタンに守られていると感じているのだ。ジョグジャカルタの町には、自らをアブディ・ダレム（スルタンのしもべ）と呼ぶ者も多く現れた。

ここで誤解してはならないのは、人々はスルタン個人を崇拝しているわけではなく、それが誰であろうともスルタンという存在そのものに対して信頼と敬意が払われているということだ。人々の暮らしにおいて、つまり俗なる世界にあってスルタンは、異なった者た

2010年のスルタン支持運動のデモ。民族衣装をまとった少数民族も参加している。

ちを受け入れる存在でもある。

一九八九年にスルタンとなったハメングヴォノ一〇世の「ハメング」はジャワ語で「膝に載せる」、「ヴォノ」は「地球」を意味する。つまりスルタンは「地球を膝に載せるように守る存在」であるということになる。スルタンの行列に用いられる「ソンソン」と呼ばれる傘には、単に日よけのためだけではなく、すべての人をその傘によって守るという象徴的な意味がある。こうしてスルタンが人々を守り（アヨム・ムンガヨミ）、アブディ・ダレムとして人々がスルタンを守ること（ブルバクティ）はジャワの文明の伝統でもある。

ジャワ文明に残る特筆すべき考えの一つに、すべての存在を差別なく受け入れ、少数派を保護するという理念がある。騒々しい者もがさつ者も、また絶対的な少数派であってもスルタンは保護する。その象徴として、ジョグジャカルタで行われるスルタンの即位の行列には、アヒル、鶏、小人および白皮症（はくひしょう）の人間が共に行進する。

また、ジョグジャカルタの墓地を訪ねると、ムスリムとキリスト教徒が隣り合って葬られていることに気づく。通常ジャカルタなどでは宗教ごとに墓地が区別され、異教徒と同じ敷地内に葬られることはない。このことも、多様な社会を維持するというジャワ文明の理念の顕著な例である。二〇一〇年のスルタンの支持運動の際にも、民族衣装をまとったパプアの少数民族がデモ行進に参加していたこともうなずける。

†イスラームとジャワ文明

人間の平等性や少数派の保護、共同体としての強い連帯性は、ジョグジャカルタのスルタンの存在意義にも通じるが、実はこれらはイスラームと深く関係する理念でもある。コーランで強調されているのは、アッラーの下の人間の平等性だ。信者であるならば、すべての人間は兄弟であり区別はないというのがイスラームの基本理念で、神に選ばれた預言者であるムハンマドさえも人間であることにかわりはない。

その意味では、聖職者を設けるほかの宗教に比べ、イスラームは平等主義が徹底している。イスラーム法学者は「ウラマ」と呼ばれ、知識をもつ者として尊敬の対象ではあるが、決して崇拝の対象にはならない。人間に神性を与えることはイスラームにおいては決して認められないのだ。

また、日本を含めた西側諸国では、「イスラームが異教徒を迫害する」というステレオタイプ的なイメージが強い。それは、十字軍以来続くイスラームに対する敵対心ともいえる負の感情がいまだに残っているからだろう。イスラームについて、「コーランか剣か」つまり、「イスラームに改宗するか死を選ぶか」という選択を迫り布教を行ったとまことしやかに語る者もいる。

しかし既に述べたように、イスラームでは強制的な改宗は認められておらず、むしろ異教徒との共存の意志を感じることができる。現にコーランでは、イスラーム以前のキリスト教、ユダヤ教を「啓典(けいてん)の民」と呼び、イスラームとの宗教的関連性が謳われている。

コーランにはイスラームを最高の宗教と捉えキリスト教徒やユダヤ教徒を否定する記述もある。それは、イスラーム創生の頃、ムハンマド自身が異教徒との軋轢を経験したことが関係しているといわれている。しかしながら、コーランでは異教徒の存在を認めることもしっかりと教えられている。

イスラームが最も優れた宗教であるということがイスラームの根本思想だが、それが即異教徒の排斥につながることはない。多くのムスリムたちはこれまで筆者に対して、イスラームに改宗するように頻繁に「招待」してくれた。しかし、それは現世の後、異教徒として地獄に行く者に対する憐みの裏返しでもあるのだ。それは、人間的な優しさということもできるのではないだろうか。

「ジャワのイスラームはインドネシア版のイスラームであって、その宗教的真正性は低い」としばしばいわれることがある。後述するように、それは間違いではない。これまで述べたように、宗教には経典によって維持される宗教的理念と、信者によって体現化される現象という二つの側面がある。ジョグジャカルタのスルタンのあり方を考えるとき、イスラームの理念が強く影響している。ただ、その土地特有の伝統がイスラームの理念と相まって、独特の文明をつくり出しているのである。

スルタンを救世主として崇め、山などの自然に神性を見ることは、「イスラームであってイスラームでない」現象を生み出す。つまり、イスラームは現在のジョグジャカルタで、社会におけるスルタンの重要性を高め、またそれに神的な要素を与えるために機能したが、その過程で厳密な意味でのイスラームの理念はかなり薄められたということだろう。ナイポールの「宗教的あるいは文化的純粋性などというものは原理主義者の空想にすぎない」(ナイポール二〇〇一)という言葉は、宗教の理解に大いなる示唆を与えてくれる。

ショッピングモールなどが建ち並ぶジャカルタ市街地

†原子力発電所建設計画とイスラーム

インドネシアは近年経済成長が目覚ましい。ジャカルタをはじめとする都市圏では次々と大型のショッピングモールがオープンし、人々は〝近代的〟な暮らしを謳歌し始めている。この三〇年の間に多くの電気製品が人々の暮らしに入り込んできた。冷蔵庫、洗濯機、テレビ、パソコン、そしてエアコンも今ではさほど珍しいものではなくなった。世帯所得が五〇〇〇ドルから三万四九九九米ドルのいわゆる中間所得層は、二〇〇〇年は三〇・一%であったが、二〇二〇年には七〇・三%まで増えているとする報告もある。

これは世界史的に見ると、一八世紀にヨーロッパで起きた産業革命以来続く伝統ともいうことができる。つまり、人間が手作業で行っていたことを機械化していく。マニュアルからオートマチックへ、アナログからデジタルへという現象は、現代世界の大きな潮流になった。

「より速く、より多く」物事を進めるということが大きな価値をもつのが現代社会だ。大量生産、大量消費、より短時間の物と人の移動、情報の伝達、これらを実現するために多くの機械がつくり出された。そして必要になったのが電力である。多くの先進国では、日々多量の電力が供給され消費されている。

そんな状況から生まれてきたのが、現代文明の最先端技術ともいえる原子力発電だ。日本では、二〇一一年の東日本大震災での福島第一原子力発電所の事故を発端に、原子力発電の是非について全国的な議論が巻き起こった。震災後、日本の原子力発電所はすべて停止したが、二〇一五年八月に鹿児島県の川内（せんだい）原発の再稼働が始まり、原発廃止は幻に終わった。

東日本大震災の数年前、インドネシアにおいても原子力発電所の建設計画が大きな社会問題となった。二〇二一年現在、インドネシアに原子力発電所はない。しかし、〝近代化〟によって膨張し続けるジャカルタなどの大都市は慢性的な電力不足に陥っており、インドネシア政府は原発の建設に前向きな姿勢を示していた。

開発政策を推し進めたスハルト大統領の時代に、政府は原子力発電所の具体的な青写真を描くようになる。そして一九九六年、中部ジャワのムリア半島に原子力発電所を二〇一五年までに建設する計画を発表するに至る。スハルト時代の終焉を経て、計画は進展を見せなかったが、二〇〇七年に当時のユドヨノ政権が計画の実施についての会議をムリア半島の建設予定地に近いジェパラで開催したことから、地元住民は反対の声を上げ始めた。

†原発反対運動とイスラーム

原発の建設予定地になっていたムリア半島のバロン村の住民たちは、会議が開催された中部ジャワのジェパラまで三五キロの道のりを徒歩で一晩かけて行進し、「絶対反対」の意思を明確に表した。その行進は村の全人口約五〇〇〇人のうち三〇〇〇人あまりが参加した大規模なものだった。住民の反対の意思がいかに強かったかがうかがえる。ちょうどその会議に合わせてインドネシア最大のムスリム団体ナフダトゥル・ウラマ（NU）のジェパラ支部がウラマ（イスラーム法学者）会議を開催し、当該地域における原子力発電所の建設をハラム（禁止）とするファトワ（宗教的決定）を発表した。このファトワは「イスラームが原発を拒否した」と国内外で大きく報道された。

この宗教的判断が、ムリア半島における反原発建設運動の大きな後押しになったことは確かだが、このファトワによってイスラームが原子力発電所を全面的に拒絶したと考えるのは少し尚早だ。ファトワを注意深く読むと、大きなポイントが二つあることに気づく。

まず、「ムリア半島における原子力発電所は禁止」という点。つまり、ムリア半島という地域においては建設を認めないというのだ。換言すれば、ほかの地域ならば建設を認めるということでもある。そしてもう一点は、原発の建設には「利点と欠点がある」と記されていることだ。これらは、イスラームが原子力そのものを否定しているのではないことを明らかに示している。

ファトワの作成に関わったウラマたちは、原発建設予定地の住民の生活水準を上げることが原発建設に先立つとの意見をもっている。また、インドネシア人技術者が原発の安全性を維持するのは難しいのではないかと疑問を投げかけている。さらに、地理的に見ても、ムリア半島は地震が多発する地域で事故の心配があり、原発建設には適さないというのだ。突き詰めて考えると、これらの問題をすべてクリアした場所での原発建設にならウラマたちは賛成する可能性がある。

イスラームは、「極端主義」を排する傾向がある。その具現化がファトワに見る二つ目のポイントだ。ハラムと宣言する前に明確によいところも悪いところもあることを指摘しているのは、大変イスラーム的である。イスラームでは飲酒や賭け事が禁止されているのは、一般的に知られている。その根拠となるコーランの一節には、確かにその両方はよくないことと明示されている。しかし、同時に「飲酒、賭け事にはいくらかの利点もある」

とも書かれており、欠点（マフサダット）と利点（マスラハット）を合わせて考えると欠点が勝るので結果的に飲酒も賭け事もよくない、という判断が下されているのだ。

このように現状に合わせて相対的に判断するのは、イスラームの特徴の一つであるといってもいい。しかしながら、これらの判断を下すのはそれぞれの地域の法学者であるウラマたちで、例えばキリスト教カトリックのローマ教皇のような絶対的な存在が、全体の方針を決定しているわけではない。柔軟性があるのは確かだが、そこにムスリム間において、様々な社会問題に対して見解の相違が出てくるのは避けられない宿命なのだ。

現代文明の最先端技術ともいえる原子力に関して、イスラームという宗教がそれを全面的に禁止する直接的教義をもたない以上、今後原子力発電所建設推進のファトワがどこかで発表される可能性は否定できない。イスラームの相対主義はむしろ、最先端技術の活用や開発に貢献するだろう。

歴史的に見ると、イスラームとキリスト教文明に根差す西欧社会はライバル関係、極言すれば敵対関係にあった。十字軍における戦い、西欧列強によるイスラーム地域の植民地化、そして冷戦後のアメリカ合衆国を中心とした西欧諸国に対するムスリムの不信感、それに続くテロリズムは、現代社会の安全を脅かす最も深刻な危惧の一つだ。こういった相克には常に「対抗心」が伴う。その観点からすると、西欧世界が原子力という技術をもつとき、ムスリムたちがその原子力を放棄することは考えづらい。

†原子力発電所とローカル文明

ムリア半島の反原発建設運動は、ハラムのファトワが発表されたことで大きな注目を浴びた。相対的ではあるが、イスラームがインドネシアの特定の地域における原子力発電所の建設に関する確たる判断を下したことは、画期的な出来事ではあった。しかし、実際の反原発運動の中心となったのはウラマのような教育を受けた知識人ではなく、建設予定地となったムリア半島の先端に位置するバロン村の住人たちだった。彼らは生まれて以来、村から出たこともないような市井の人々だ。

反原発運動には都会から移り住んだ政治的な思想をもつ組織の若者も関わっていたが、バロン村の人々はイデオロギーに基づいて反政府運動を展開していたのではない。古くから受け継がれてきたジャワの文明的英知が彼らの原動力となっていたのだ。そこには、イスラームの「相対的禁止」を超える「絶対的反対」の理念を見ることができる。村人を反対運動に駆り立てたのは、宗教的ファトワでもなくイデオロギーに根差した反政府的思想でもなかったのだ。ではジャワの文明的英知とは何か。それを知ることは、インドネシア以外で問題になっている原子力発電所の是非をめぐる議論にも大きな示唆を与えることになるのではないか。

まず、イスラームと村人たちの関係を見てみよう。ムスリムである村人たちがファトワを歓迎したのはいうまでもない。彼らには彼らの暮らしのなかのイスラームがあり、その行為一つ一つがイスラームの原理的教義に必ずしも合致しているとは限らない。例えば、彼らはイスラームの教えとはかけ離れた先祖崇拝という伝統を今でも受け継いでいる。先祖の墓に詣でることはしても、金曜礼拝に参加しない者も珍しくない。

イスラームの大原則の一つであるタウヒードとは、神性をアッラーのみに求めるということで、ほかの超人的な存在を認めない。ムハンマドはアッラーの言葉を受け取る役割をもった偉大な人間ではあるが、預言者以上の存在ではない。そこには、イエス・キリストを神の子とし、そこに大いなる神性を見出すキリスト教との絶対的な違いがある。聖人に超人的な力を認めることもイスラームの大原則に合致しない。

しかし、その一方でイスラームのスーフィズム（神秘主義）においては、ムスリム個人の内面を深めアッラーと一体化することに価値が置かれ、それを極めた者たちが聖人として人々の崇拝の対象になったことも事実だ。インドネシアのイスラームはスーフィズムの影響も強く受けていることから、こうした聖人崇拝も根強く残っている。

インドネシアにイスラームを広めたという聖人シティ・ジュナールの墓

†聖人崇拝の伝統

　バロン村の人々にとっては、身近な守り神としての聖人の存在は大変重要だ。実際バロン村には、インドネシアにイスラームを広めたとされる聖人の一人というシティ・ジュナールの墓がある。原子力発電所の建設に異を唱える住民たちは、反対運動のデモに参加する前にこの墓に詣でて加護を願い祈りを捧げるという。

　祈念するというこの行為は、本来ならアッラーまたは生きた人間に対して行われるもので、亡くなった聖人に対しては行ってはならない行為だ。しかし、村人たちにとって、聖人であるシティ・ジュナールはある意味アッラーより身近な「神」であるのだろう。村人たちの聖人に対する祈念は、イスラームの原理的理念に反した実生活におけるムスリムたちがつくり出した現象ともいうことができる。

シティ・ジュナールの墓はちょうど原発建設予定地にあり、計画が実行されれば墓はほかの場所に移動を余儀なくされる。村人たちは、墓を掘り起こすという行為が聖人シティ・ジュナールの怒りを買い、村に災いが起こると恐れ、そのことが反対運動の大きな動機の一つになっている。こういった迷信もイスラームでは認められていないのだが、彼らの行為には「ムスリムの聖人」という概念が強く影響している。たとえ、宗教原理とはかけ離れた行為であっても、実生活においてムスリムはそれをイスラーム的であると信じている。そしてその行為を「非イスラーム的」と断じることはイスラームの理解を妨げることになる。

†必要以上を求めない

ムリア半島における反原発運動において、ファトワや聖人に対する畏敬のほかに、その運動を支える特筆すべき文明的概念がある。ジャワに残る土着の、つまりローカルな文明の思想である。その一つは、「サチュクペ」と呼ばれる「自らが必要とするもの以上を求めない」とする考え方だ。近代物質文明が支配的な現代社会に生きていると、自らが最低限必要とする以上のものに囲まれていることに気づく。また、我々自身がさらにより多くのものを求めていることさえある。

人口一〇〇〇万人ともいわれるインドネシアの首都ジャカルタでは、各部屋にエアコンを据え付け、車を複数台所有する者も珍しくない。高級ホテルでは、食べ放題の食事に人々が殺到する。インドネシアでは経済成長に伴い、こういった「より多く」の暮らしを求める人々が目立つようになってきた。裕福になり、より多くを所有する、そして多くを消費するという生活態度が人々のステイタスになり、貧しい者はその生活を手に入れるために必死になって働くという構図ができ上がっている。

しかし、バロン村の住人たちはそういった近代の西洋文明が求めてきた「より多く」という根本概念を退ける。バロン村の主産業は農業、漁業、ゴムの木の栽培などで、人々は豊かな海と多くの樹木に囲まれて暮らしている。電気は通っているが、暮らしに必要な利用に限られている。都会のように常に空調で室内の温度を保ったり、煌々と電灯をともしていることはない。村人にとって今の暮らしは充分であって、これ以上を求めることに価値を見出さない。

この「サチュクペ」の精神は都会の人間からすれば、現状肯定の停滞主義に映るのかもしれない。しかし、村人は、例えばジャカルタの人間たちが強欲に「多く」を求める態度を利己主義だと断じるのだ。自分たちは、今の暮らしでより多くの電力を必要としない。

だが、都会の人間たちが必要以上を求めることによって生じる電力不足を、なぜ自然を壊す危険性がある原子力発電所の建設によって自分たちが補わなければならないのか、という疑問を抱えている。

†自然と生きる

原発建設が実現すれば、地域経済の活性化につながり、村人の生活が潤う可能性がある。加えて政府は、村の子どもたちに対して就学支援対策を打ち出している。それでも村人たちは、原発建設に反対を続けている。原子力発電所によってもたらされる経済的安定よりも大事なものは「自然」であるという。村人にとって、海や森は生活を支えるかけがえのない財産であって、短期的な経済的恩恵と引き換えに原発事故の危険に晒すことなどできないのだ。もちろん賛成派も存在するが、その数は極めて少ない。

近年インドネシアは都市部で工業化が進んだとはいえ、主産業が農業であることには変わりがない。特にジャワは豊かな自然に恵まれ、世界でも有数のコメの生産地として知られる。自然に左右される農業に従事するジャワの人々の暮らしには、自然に神性を求める精霊崇拝（アニミズム）が色濃く反映され、豊穣をもたらす大地に感謝する心は、自然に宿る精霊を崇める態度に通じる。

それを具現化したのが、ジャワの伝統行事である「スドゥカブミ」という儀礼で、「大地への感謝」を表すため年に一度行われる。行事そのものは極めて簡潔で、鶏肉や果物、ナシクニン（ターメリックで色づけした飯）を地域住民が共に食し、その残りを田畑の隅に供え、大地の精霊に豊穣を願う。また漁業に従事する者は、同じように残りの食物を海に投げ入れることによって豊漁を祈願する。

ジャワ文化に詳しい社会学者モハマッド・ソバリは、このスドゥカブミは、人間が大地やほかの生き物、つまり自然を脅かしてはならないというジャワ人の心のあり方の反映だと筆者に語ってくれたことがあった。自然は侵してはならない神聖なものという概念がバロン村の人々にも共有されているようだ。

イスラームの金曜礼拝にはめったに顔を出さないという原発反対の若者も、このスドゥカブミには毎年必ず参加する。彼によると、村の大地は前の世代から受け継がれてきたもので、先祖もそこに眠っている。その大地を掘り起こし、自然そのものを脅かす恐れのある原発を建設することは許されない行為であるという。

そこには、大地や海の精霊、先祖の霊の怒りに怯える人々の姿がある。それは近代的合理主義の精神からすると、未開の人間の迷信として片づけられてしまうかもしれない。しかし、この「怯え」は歴史のなかで、実は自然と人間の共生を可能にするメカニズムとして機能し、環境を破壊して自然に対して自らの優位性を高めていくというある意味で傲慢な人間のあり方に、歯止めをかける役割を果たしていた。自然をないがしろにすることでもたらされる災いに人間自身が気づいていたからこそ、自らの傲慢さを戒める社会的行事としてスドゥカブミが生み出されたのだということもできる。そこには大いなる合理性が存在するのだ。

しかし、産業革命と啓蒙思想によって支配的になった西洋近代主義は「大地の精霊」を信ずることを不合理と断定し、その科学万能主義はジャワなど世界の各地に残っているローカルな文明を遅れたものとして否定してしまった。そして科学的知識を身につけた近代人は、自然に対する「畏れ」や「怯え」の感情を意識的に捨て去り、「発展」を目指して止むことのない競争を始める。

こうして、より多くのものをより速く生産し移動させることが絶対的な価値をもつ社会ができ上がった。哲学者の小林道憲（みちのり）は「神なき文明の拡大線上にある」として現代社会のあり方と今後に警鐘を鳴らしている（小林一九八八）。日本も明治維新の近代化以降、ただひたすら「発展」を求めて、伝統的な価値を置き去りにした感は否めない。日本国内における反原発運動を見ても、議論の中心になるのは「危険か否か」という視点だけであり、「大地の精霊の怒り」とそれに対する「怯え」がその運動の根本理念に据えられることはない。それは、日本が自然と共に生きるという伝統的な価値観を失ってしまったということなのかもしれない。

†連帯の精神

バロン村の反原発運動の原動力になっている自然との共生への意志は、ローカルなジャワ文明における重要な思想だ。それに加えて、ジャワにおけるある伝統的概念が反原発運動を支えている。「相互扶助」を意味する「ゴトンロヨン」の精神だ。これは、ジャワに限らずインドネシア全体にも広く普及している考え方で、地域住民がお互いに助け合いながら暮らすことを意味する。

インドネシア以外の国の農業を中心とする村落共同体では、こういったゴトンロヨンの考え方が当たり前のように共有されているだろう。ただ、近代合理主義の支配的な現代社会では、そういった地域社会のつながりが希薄になっていることも事実だ。一九七〇年代に、インドネシアの社会学者であるアリフィン・ベイは、ジャカルタでは結婚式場を借りることはなく、ゴトンロヨンにより近所が会場から食事まで提供すると書いたが、それから四〇年経ったジャカルタでは、実際式場を借りて宴を催すことが当たり前になりつつある（ベイ一九七五）。

しかし、バロン村では、現在も実生活に関わる様々な助け合いがゴトンロヨンとして機能している。例えば、村人たちは地元政府に頼ることなく、自らが住んでいる地域の道路の整備や学校建設などを自主的に経費を集めて行い、家を修繕する際にはお互いに無償で作業に参加している。彼らにとってそれらは、地域住民として当たり前であり特別なことではない。

また、反原発建設運動において村人たちは、この概念を実に豊かに発展させている。バロン村のある漁師は、とにかく先祖代々受け継がれてきた美しい海と大地、つまり自らの生活の源である自然を守りたいという。そして、今を生きる彼自身は、その自然は彼の時代より前を生きた者が守り続けたものだと考えている。彼の責任はそれを未来の世代に引き継ぐことなのだ。つまりそこには、過去、現在、未来という時間を超えた相互扶助、ゴトンロヨンが成立する。自然を自らの所有物ではなく、人間に恵みを与えてくれる財産とする理念が村人によって共有されている。

†ローカル文明の普遍性

ゴトンロヨンの精神は、無意識的かもしれないがバロン村の住人たちによって人類的価値をもつ理念として理解され、反原発運動における大きな柱となっている。それは時間を超えるというだけではなく、空間を超えた相互扶助である。

村人たちはいうまでもなく、ムリア半島に原発を建設することに異を唱えている。しかし、彼らの反対は自らの村における建設にのみ反対するという地域限定の考えではない。地球のどこに原発を建設しても、それは有機的にすべての人間に関わってくることであって、バロン村から遠く離れた場所に原発が建設されたとしても、自らを含んだ人類が危険に晒されることに変わりはないという。村人たちは一切の原発建設に反対を貫いている。人類の一員として、人間が住む大地の自然が放射能によって汚染される可能性を拒絶することが、地球に存在する他者との相互扶助なのだ。それは地球的な連帯の可能性を感じさせる精神でもある。

こうしたバロン村の人々の態度は、イスラームのウラマたちがムリア半島限定で原発の建設を禁止したこととは異なる。先述のように、ウラマのファトワを解釈すれば、ムリア半島以外の場所で条件が整えば原発の建設を認めることも可能になる。そこには、全人類的な視点というよりも、限定的かつ実利主義的な姿勢を見ることができる。イスラームは、国という枠組みを超えて信者であるムスリムの連帯を目指しており、その意味ではグローバルな宗教ともいえる。

だが、その連帯の精神がムスリムのみに限定されたものであれば、他宗教との関わりにおいて問題を残すことになってしまう。後述するようにイスラームそのものは、ムスリム以外の者を無条件に排斥、迫害するものではない。実際に非ムスリムと共存するためのメカニズムもしっかりと提示されている。つまり、イスラームと他宗教との共存を模索することが今後の世界のあり方を左右する。はからずもムリア半島の反原発に関するファトワはそのことへの問題提起となった。

これまで見てきたように、イスラームとローカルなジャワ文明がムリア半島における反原発運動の原動力になってきた。だが、ウラマが発したファトワとサチュクペやゴトンロヨンの文明的概念のどちらか一方が村人を運動に駆り立てたのではなく、その両者が融合して、彼らに影響を与えたと考えるのが適当だろう。

村人は自らがジャワ人であり同時にムスリムであるという自己意識をもっている。だからこそイスラームの大原則であるアッラーの唯一性と齟齬が生じたとしても、インドネシアのイスラーム史に登場する聖人を崇めるという宗教的行為をとるのだ。その意味で、ジャワのローカルな文明とイスラームは、バロン村の住民にとって不可分の社会的要素であることがわかる。

第３章

スハルト政権興亡史
——独裁者とムスリムたち

第２代スハルト大統領（1997年、ⓒロイター／アフロ）

†独裁と〝開発〟の時代

一九九〇年にインドネシアで製作された『僕の空　僕の家』(Langitku Rumahku) という映画がある。海外の映画祭でも賞を取るほど高く評価された。スハルト政権下のインドネシア社会に生きる「裕福な子ども」と「貧しい子ども」がそれぞれの悩みを共有しながら友情を育むというストーリーだ。筆者もこれまで観た映画のなかで最も優れた作品の一つだと思っている。

しかし、この映画を最初に観たのはインドネシアではなく、大学院生活を送るオーストラリアだった。なぜなら、一九九〇年代はじめにジャカルタに住んでいた当時、『僕の空　僕の家』はインドネシアで上映されることが許されていなかったのだ。この映画には、スハルトが推し進めた「開発経済」の犠牲になった子どもの暮らしが描かれており、当時の政権に対する批判も込められていた。

そのような国内の貧困を描く映画は許さない、ということだったのだろう。このことからわかるのはまず、当時のインドネシアには富める者と貧しい者の格差が大きかったということ。この富める者の代表は商売を行う華僑(かきょう)で、貧しいのはその華僑に雇用されるプリブミと呼ばれるムスリムたちだ。そして、もう一つはスハルトが人々の自由を抑圧し言論統制を行っていたということだ。

筆者がアメリカに住んでいたときに湾岸戦争が勃発したが、アメリカ人の友人たちがブッシュ大統領を批判することなどは日常茶飯事だった。しかし、一九九一年にインドネシアに移り住むと、人々はスハルト大統領や政権について、不思議なほど沈黙を守っていたのを覚えている。あの頃は、貧困と抑圧の時代だった。

スハルトの行った政治に、イスラームは深く関わってきた。その強権的な手法に対して妥協と交渉、そして抵抗を繰り返し生き延びてきた。特にインドネシアにおける二大イスラーム団体であるナフダトゥル・ウラマ（NU）とムハマディヤは、重要な役割を果たした。これらの国に認められたイスラーム団体とは別に、スハルトの政治体制に実力で抵抗したイスラーム勢力もあった。本章では、これらの歴史的事実を確認しながら、スハルト政権が崩壊する過程に、イスラーム指導者らがどのように関わったかについて明らかにしたい。

†インドネシアの政治変化

現在のインドネシアは、国民によって直接大統領が選出され、国民の代表である国会議員の選挙も民主的に行われているというのが国際社会の評価だ。それに対して、スハルト

「スシロ大統領はジョグジャの災害の元凶！」と書かれた横断幕

政権時代は、選挙で選ばれた議員とスハルトに指名された議員、国軍から選出された議員からなる国民協議会（MPR）が大統領を選出していた。つまり、スハルトが必ず選ばれるシステムが構築されていたのだ。

国民は、以前に比べて自由を謳歌するようになった。大統領に対する批判も決して珍しくない。前章で触れた二〇一〇年にジョグジャカルタ特別州知事選挙実施に言及した当時のユドヨノ大統領に対して、住民たちは辛辣な批判を投げつけた。例えば、スシロ（Susilo）・バンバン（Bambang）・ユドヨノ（Yudhoyono）という名前の頭文字であるSBYを使って、「SUMBER BENCANA YOGYA!」つまり、「スシロ大統領はジョグジャの災害の元凶！」という横断幕を高く掲げてデモ行進した。政治的な意見をこのように発することができる言論の自由を、恐らく多くのインドネシアの若者は当たり前のことと考えているだろう。

しかし、この「自由」はかなりの犠牲を払ってインドネシア社会にもたらされたものだ。インドネシア独立の父といわれるスカルノ初代大統領から政権を引き継いだ第二代スハルト大統領は、実質的に三二年間にわたって政権を担い独裁者として国民の人権を弾圧した。大統領を批判することは、社会から抹殺されることを意味したため、多くの人々は公の場で政治的な発言をすることをためらった。

五年ごとに行われる総選挙には限られた政党のみ参加が許され、しかも政策に基づく健全な投票ではなく、スハルト大統領を選ぶためのセレモニーにすぎなかった。国家公務員は政権政党ゴルカル(Golkar)とつながる国家公務員組合(Korpri)への加入が義務づけられ、実質的に選択の自由を奪われた。また、立候補する者に対しては、事前の身元調査が行われ政府の承認を得ることが選挙参加の条件とされた。

†スカルノからスハルトへ

インドネシアではスカルノ政権を「旧秩序」(オルデラマ:Orde Lama)と呼ぶのに対しスハルト政権を「新秩序」(オルデバル:Orde Baru)と呼ぶが、人々の自由に関しては暗黒の時代だった。政権批判はもとより思想の自由も厳しく制限された。現代インドネシア文学の巨匠で国際的評価が高いプラムディア・アナンタ・トゥールの作品は出版が禁止され、彼の本を所持しているだけで逮捕され、裁判などが行われないまま何年も拘束されることも珍しくなかった。

スカルノの政治生命を終わらせた九・三〇事件は、インドネシア共産党（PKI）への弾圧の始まりであった。PKIが関与したとされるこのクーデター未遂をきっかけに、スハルト少将が終身大統領であったスカルノを追い落とし、一気に権力の座へと上りつめた。そして、クーデター未遂後にインドネシア国内で反共産主義の世論が巻き起こり、PKIメンバーやその関係者が大量に虐殺された。犠牲者の数は、少なくとも五〇万人といわれている。

その虐殺に積極的に関わったとされるのが、それまでもPKIと衝突を起こしていた青年組織（アンソール）を抱えるインドネシア最大のイスラーム団体であるナフダトゥル・ウラマ（NU）であった。スカルノ政権時代のイスラームは、民族主義（Nasionalisme）、宗教（Agama）、共産主義（Komunisme）を中心に国づくりを進めるいわゆるNASAKOM政策の一翼として、一定の影響力を維持してはいたが、共産主義に接近した世俗体制が強化され中心的役割を果たすことはできなかった。アンソールのみならずそのほか多くのイスラーム団体のメンバーや一般のムスリムたちの虐殺への積極的関与は、スカルノ後のインドネシア社会において自らがより大きな社会的・政治的役割を担いたいという思いがあったのかもしれない。

インドネシアはスハルト支配の下、東西冷戦時のアメリカを中心とする資本主義陣営に名を連ねることになった。スカルノ時代にはインドネシアが共産主義の中国と接近していたこともあり、新たな権力者となったスハルトは中華文化の全面的な禁止政策をとった。インドネシア国内には多くの華僑（かきょう）が存在するにもかかわらず、スハルト時代に国内で小売店の看板に漢字を使用することも禁じられた。スハルト政権崩壊後に起きた改革運動（レフォルマシ）を境にインドネシアはようやく民主化へ大きく動き出し、その際にイスラームが大きな役割を果たすことになる。詳しくその当時を振り返る前に、スハルト政権とイスラームの関係を見ておこう。

†スハルトの権力掌握

旧秩序時代から新秩序時代への移行は、混乱した国内の政治経済状況、孤立化した国際的立場の回復から始まった。新秩序時代とは、国際的には「ジャカルター北京ーハノイーピョンヤンープノンペン」という共産主義ブロックから離脱し、アメリカ資本主義圏へ加わるという政治的方向転換だった。

また国内的には、政権に反対する勢力を「強権」的手法で抑え、西側諸国からの投資を拡大し「開発」を進めるという二面性をもっていた。スカルノ後のインドネシア社会に重要な位置を占めたいと願ったイスラーム勢力だったが、スハルトが推し進めた「強権」と「開発」という政策のなかで屈辱と妥協を強いられることになる。

九・三〇クーデター未遂事件から六年後の一九七一年に行われた総選挙では、スハルト政権のイスラームに対する姿勢がより明らかになった。国内最大のイスラーム団体であるナフダトゥル・ウラマ（NU）は同名の政党として選挙に参加、また会員数でNUに次ぐ規模を誇るムハマディヤ系のムスリムたちはインドネシア・ムスリム党（PMI）に結集した。

しかし、これらのイスラーム団体の政治的台頭を望まないスハルトは、イスラーム系学校を会員とする団体を立ち上げ、それに参加した学校、教員には財政面での援助、巡礼参加、政府機関での役職などを提供する政策を発表し、イスラーム勢力の囲い込みをはかった。こういったスハルトの態度に対し、九・三〇クーデター未遂事件後に共産主義者の虐殺にも参加したといわれている多くのNUメンバーは失望と怒りを感じた。実際NUはスハルトの強権的な人権弾圧に反対しジハード（聖戦）を宣言するに至った。

近代派ムスリムが集まって結成されたPMIには、ムハマディヤはもちろんのこと、イスラームの政治参加を強く求めて、旧秩序時代に非合法化された政党マシュミ系列のムスリムなども多く参加していたが、スハルト政権に対する姿勢は決して統一されていたわけではなく、マシュミ系の強硬派とより現実主義的な協調路線を取るグループの溝は埋められないままだった。

しかし徐々に、党内では協調派が主導権を握るようになり、強硬派はスハルト政権のイスラームに対する姿勢に不満を募らせていった。こういった新秩序体制に対し不満をもったムスリムたちは、後により過激な抵抗運動を展開することになるが、スハルトの圧倒的権力によって表舞台からは姿を消した。彼らは、スハルト後のレフォルマシの時代になって、イスラーム強硬派としてインドネシア社会に復帰することになる。

一九七一年の総選挙では、スハルトの政権与党ゴルカルが六二・八％の票を得て、NUは一八・七％、PMIは五・四％にとどまった。このことからも明らかなように、イスラームの政治勢力は分裂し、新秩序時代においても多数派になることはできず、スハルトが周到に計画した封じ込めが功を奏した形となった。この後、スハルトは選挙に参加できる政党をイスラーム系政党（PPP）、民族主義系政党（PDI）、政権与党であるゴルカル（Golkar）の三つに再編し、実質的な独裁体制を完成させた。

†多数派の少数派メンタリティー

新体制の独裁に抗することができず、民族主義者もキリスト教系団体も、インドネシアのすべての政治勢力は生き残りのために様々な妥協を強いられ、イスラーム団体も新体制にしっかりと組み込まれた。既に述べたが、パンチャシラを受け入れたことは象徴的だ。NUやムハマディヤなどのイスラーム団体に属さない市井のムスリムたちも、インドネシア社会にあって多数派でありながら、社会の隅に追いやられたような少数派としての感覚をもたざるを得なかった。

一般社会でのムスリムたちの〝少数派メンタリティー〟を助長したのは、非ムスリムである華僑の強大な経済支配だろう。華僑は植民地時代にプリブミ（現地人の意味）と呼ばれるムスリムたちを雇用し、その経済的基盤を築いた。そして、インドネシアにおいて絶対的少数派である華僑たちは、新秩序体制でスハルトの協力者として存在感を増していく。それはつまり、プリブミたちを経済力によって再び支配するという構造を生んだ。新秩序時代には、インドネシアの総資産の七〇％が華僑によって所有されていたという。実際、一九九〇年代のインドネシアの富豪は、上位一五名の内一二名が華僑であったという報道もある。

こういったスハルトのパートナーである華僑の経済支配に対し、インドネシア社会に生きるムスリムたちが、低賃金で労働することに不合理を感じていたとしても不思議ではない。憎しみや恨みという究極的な負の感情までいきつかなかったとしても、数百年にわたって共存してきたムスリムと非ムスリムの関係は、スハルトのつくり上げた経済体制によって、市民レベルで心理的な壁を両者の間につくり上げてしまった。

少なくともプリブミが華僑に対し経済的な面で嫉妬を感じていたことは確かだろう。ムハマディヤの議長を務め、イスラームのリーダーの一人であったアミン・ライスは、一九九〇年代にムスリムの社会、政治、経済面での地位の低さを嘆き、華僑の経済支配を厳しく批判している。後に詳述するがスハルト政権崩壊時には、こういった華僑に対する不満が一気に爆発し、インドネシア中でムスリムによる華僑に対する略奪や虐殺が起きた。

†強硬派ムスリムの抵抗

スハルトがその政治権力を強め、一族の経済支配が進む年代に入ると、人々はその体制のなかで生き残ることを模索し始め、スハルトがデザインした社会での自らの位置を否応なく自覚する。スハルトに近い大富豪はますますその富を蓄えていく一方で、低所得者層は、飢えをしのぐために必死に働く。そして、スハルトが推し進めた〝開発〟に伴って国内ではインフラ整備が進み、ある程度の所得を得ることができる中間層が出現してきた。大都市には大型ショッピングモールが建ち始め、人々は自家用車を所有し、近代的な施設で買い物をするようになる。この物質主義をスハルトは「夢」として国民に示したのだ。

NUやムハマディヤなどのイスラーム団体もその大きな時代の流れのなかで、スハルト政権と直接対決することはなく、組織の存続のために現実路線を取ることになった。しかし、その一方でスハルト一族の華僑との経済協力、華僑による富の独占、広がる汚職や縁故主義、そしてなによりもシャリーアを認めないスハルト政権の世俗主義に対し、一部の強硬派ムスリムは反感をもち抵抗を続けた。

もちろん、スハルトの新秩序体制に異を唱えたのは強硬派ムスリムたちばかりではない。学生からの反対も強く、一九七七年の総選挙後には反スハルトデモが続いた。また、退役軍人などもスハルトの政権運営に疑問を投げかける文書などを発表している。一九八二年の総選挙の際には、政権与党ゴルカルの集会中に騒乱が起き、これを含めて選挙に関連して死亡した者は六〇名を超えた。そんな社会にあってムスリム強硬派の抵抗は、次第に暴力を伴うテロ行為に変化していく。

一九八一年にはムスリムグループが国営ガルーダ航空機をハイジャックする事件が起き、さらに一九八五年には第1章でも紹介した仏教遺跡のボロブドゥール寺院に爆弾が仕掛けられ、ムスリム活動家が逮捕された。また、スハルトの盟友である華僑の所有するBank Central Asiaビルにおける爆弾事件なども起きた。

これらのテロリズムは、パンチャシラを前面に打ち立てて宗教を尊重する態度を見せながら、アッラーに直接言及せずシャリーアを施行しない世俗主義のスハルト政権に対し、一部のムスリムの不満が頂点に達したものだともいえる。一九四五年にジャカルタ憲章で謳われたムスリムのシャリーア遵守が反故（ほご）にされたことは、時を経てテロリズムとなってインドネシア社会を揺るがせることになった。

これらのテロリズムとは別に、当時の政権とムスリムの関係を象徴する事件が一九八四年にジャカルタ北部地区で起きた。いわゆるタンジュン・プリオック事件だ。パンチャシラに批判的なビラなどを配っていたモスクに、軍隊が土足のまま入りこんだことから、地域のムスリムとの間で衝突が起きたのだ。

数十人の死者が出たといわれているこの事件では、国家転覆罪で多くの逮捕者が出た。そのなかには、スハルト政権崩壊後に国会副議長になるＡ・Ｍ・ファトワも含まれていた。逮捕や取り調べ時には、人権を無視した拷問などが行われたといわれており、この事件は新秩序時代におけるスハルトの政権運営の手法を象徴するものとなった。そして同時に、草の根レベルのムスリムたちにも過激な要素が存在していることを証明することにもなった。

†ムスリムとスハルトの新しい関係

一九九〇年代に入ると、イスラーム勢力とスハルトの間に変化が生まれてくる。スハルトは、七〇年代から八〇年代にかけて武力衝突やテロによって抵抗を続けていた強硬派ムスリムを逮捕投獄することに成功し、それを逃れた者たちは国外に脱出した。よって、国内ではムスリムの関わるテロは影をひそめた。それは、西側諸国の投資を促進するために、まず第一に必要な条件だった。また、それまで過激な実力行使に与(くみ)することはなかったものの、イスラームの社会的位置の向上を望み、スハルト政権に批判的だったムスリムたちも現実路線を取り始めた。つまり、スハルトの新秩序体制に組み込まれるという戦略を取ったのだった。

それは、スハルト自身にとって政治的にはありがたいことだった。ムスリムと協調路線を取ることで政権の安定を確保することができたからだ。当時、自分の出身母体である軍との関係は、必ずしも盤石とはいいがたかった。政権に影響力を及ぼしたい軍の中枢とスハルトとの間で、副大統領の指名をめぐって軋轢が起きていたのだ。国軍司令官や国防治安大臣を務めたカトリックのベニー・ムルダニは当時国軍において大きな影響力を誇り、一時はスハルトに代わり大統領になる意志をもっていたともいわれている。そういった政治的事情もスハルトとイスラーム勢力との接近には無関係ではない。

両者の接近の最も顕著な例が、スハルト自身が後援者となった全インドネシア・ムスリム知識人協会（ＩＣＭＩ）の設立だ。会長にはスハルトの側近で当時のハビビ国務大臣（研究・技術担当）が就任した。長年ドイツで航空技術の仕事に就いていたエンジニアで、イスラーム学者でも説教師でもないハビビがＩＣＭＩを率いることは、この新しいイスラーム団体が政治的な意味合いをもっていたことを物語っている。スハルトはイスラーム勢力を政治的に取り込み、ムスリムはスハルトの庇護を得ながら自らの社会的立場の向上を目指したともいえる。

一九九〇年に設立されたＩＣＭＩには伝統派ムスリムの代表格であるアリ・ヤーフィーやユスフ・ハシム、近代派からもアミン・ライスやダワム・ラハルジョ、また高名なイスラーム学者のヌルホリス・マジッドも加わり、これまでになくインドネシアのウマットを広範に巻き込んだ大きな流れを生み出した。ＩＣＭＩの出現は、一九八〇年代に高等教育を受け、社会において中心的位置を占め始めたムスリムたちが国家の政策立案、実施に積極的に関わることを意味していた。

また、ＩＣＭＩに参加したムスリム知識人たちは、スハルトと協働することでイスラームの影響力の拡大を可能にするという〝暗黙の合意〟を交わしたことも認識していた。国際政治学者のバティキオティスの言葉を借りれば、ICMIは「イスラームの政治的希望を再び灯すもの」であった（Vatikiotis1993）。

†ムスリムの前進

ICMIの設立から二年後、一九八四年のタンジュン・プリオック事件で逮捕投獄されていたA・M・ファトワが釈放され、ICMIに加わった。このこともイスラーム勢力とスハルトの関係が劇的に変わりつつあることを示していた。

実際、ICMIの主要メンバーは一九九二年、国会にあたる国民協議会（MPR）の任命議員に選ばれている。また、スハルト政権の主要閣僚の多くもICMIに参加し、ムスリム勢力の戦略は成功したといえるだろう。

しかし、こういった高学歴の〝知識人ムスリム〟たちの政治的現実主義を潔しとしないムスリム学者もいた。シャリーアの施行を求めていたデリア・ヌールは、「ムスリムの正しい道はスハルト政権に官僚として参加することではなく、貧困によって教育を受けられない者たちを救済すること」と考えていた。そのほかにも、社会学者でインドネシアの社会文化に詳しいモハマッド・ソバリも「ICMIは、個人の能力で役職に就く者を選ぶのではなく、宗教（イスラーム）をもとに選んでいる」とし、ムスリムエリートたちが自らの政治的利害を実現するための組織にすぎないと厳しく批判している。

最も強くICMIを批判したのが、伝統派イスラームを代表するイスラーム学者でNUの議長を務めていたアブドゥルラフマン・ワヒドだ。晩年は盲目の状態であったが、国民からは愛称であるグス・ドゥルと呼ばれ、絶大なる人気を誇るワヒドがICMIへの参加を拒否したことは、大きな話題となった。

インドネシア第４代大統領で、国民的イスラーム学者グス・ドゥル

グス・ドゥルは、ICMIを「セクト主義に基づいた排他的集団」と決めつけて一切妥協することはなかった。インドネシア国内における非ムスリムの保護を常に唱えるグス・ドゥルは、ムスリムが大同団結して政治や社会活動を行うことは、少数派を抑圧する危険性を孕んでいると考えた。

グス・ドゥルの思想については後述するが、シャリーアを国法とせず「インドネシア的イスラーム」の構築を目指すグス・ドゥルは、多数派であるムスリムが主導権を取ってスハルト政権と距離を縮めることは、少数派を排除する社会的風潮を生み、イスラーム中心の国家の出現につながるものと危惧していたのだ。ICMIの設立は、インドネシアのウマットが決して統一された集合体ではなく、その指導者間でも大きな意見の相違があったことを示している。

†ムスリムの力

影響力のある多くのムスリム知識人と政治的な同盟関係をつくり上げたスハルトではあったが、ICMIを通して政治により深く関わろうとするムスリムの行動は、華僑と協力して富を蓄え、権力を盾に汚職にまみれた政権運営を続ける彼にとって、決して好ましいことばかりではなかった。イスラームが宗教として強調されればされるほど、スハルト的国家運営は批判にさらされることになった。その典型的な事件が一九九〇年初頭に起きたムスリム学生たちによる反宝くじ運動だ。

政府が社会福祉の財源を確保するとして一九八九年に導入した宝くじ（SDSB）は、イスラームの賭け事を禁じる教えに反するとして、若いムスリムを中心に政府を批判する行動が起きた。売り上げの収益の使い道が不透明で、汚職の温床になっているというのがその主張だった。

一九九三年の一一月には、数百人の学生が国会議事堂の敷地内に入り、反対の声を上げた。スハルトの新秩序時代に、反政府のデモ隊が国家施設にまで入り込むのは極めて異例のことだった。学生たちは、その場でイスラームの祈りを捧げるという行動に出た。

政府側は静観する方針を取った。反イスラーム的なＳＤＳＢに抗議する学生たちを武力で排除すればスハルトが世間の批判にさらされることは明らかだった。最初のデモから約一カ月が経ち、学生たちのＳＤＳＢに対する反対の声はますます大きくなり、世俗的勢力も加わり大きな社会運動に発展した。イスラーム学生協会（ＨＭＩ）やムハマディヤ学生協会なども加わり腐敗体質の政権を批判する運動の様相を帯びてきた。ここにきてスハルトは強権的にデモ隊の排除を始め、逮捕者を出す結果になった。

反政府運動の全国的な広がりは避けられたものの、スハルト政権はＳＤＳＢの廃止を余儀なくされた。これは、イスラーム的社会風潮をより鮮明にしたいムスリムたちの勝利であると同時に、スハルトが一九九〇年代に入ってイスラーム勢力との共闘に舵を切ったことの代償でもあった。

実際、反ＳＤＳＢ運動で指導的役割を担ったファドゥリ・ゾンは筆者に、「この運動が七〇年代から八〇年代にかけて社会の隅に追いやられるような思いを強いられてきたムスリムたちが、ようやく社会の主役として活躍するきっかけになった」と語ったことがある。

また、それを意図しての運動だったことをファドゥリ・ゾンは認めている。イスラームの宗教としての「聖なる力」が政治の世界で有効に機能した象徴的な出来事が反SDSB運動ということができるだろう。

イスラームを前面に掲げた反SDSB運動の立役者であるファドゥリ・ゾンは、ときとして過激な力による改革も厭わない極端なイスラーム強硬派とみなされることもある。しかし実際は、インドネシアの政治状況を素早く判断し、戦略を練るという若きインテリ政治家と評する方が正確だろう。

一九七一年生まれのファドゥリ・ゾンは、植民地支配からの独立やそれに続くスカルノ時代にシャリーアの施行を目指してきた多くの先達の強硬派ムスリムたちとは異なり、スハルト新体制の申し子であり、新しい方法でイスラームの社会的地位を向上させる道を選んだといえるのではないだろうか。

それは、ICMIがそうであったように、政権との距離をあるときは充分保ち、あるときは縮めながら、イスラームの政治的位置を確立していくというものだ。実際、ファドゥリ・ゾンは前スハルト大統領の娘婿であり、次に述べる政権交代時に軍を追われたプラボウォ・スビアントが立候補した二〇一四年と二〇一九年の大統領選挙の参謀としてその手腕を発揮した。プラボウォが設立した政党である大インドネシア運動党（Gerindra）の幹部を務め、二〇一四年には国会副議長となった。

†スハルト政権崩壊へ

一九六六年以来、強大な政治権力と膨大な財力を手に入れ、インドネシアに君臨していたスハルト大統領の終わりは、三二年後の一九九八年にやってきた。一九九〇年代前半は、SDSBの廃止などを余儀なくされたが、側近のハビビが率いるICMIとの協調関係などもあり、政治的にはまだ余裕が感じられた。

一方で、一九九〇年代も後半になると、スハルト支配に対する不満が高まってきた。ICMIの中心メンバーであったアミン・ライスは声高にスハルト批判を始め、学生たちもそれに呼応した。しかし、その変革を求める声は強権的な手法によって抑え込まれてしまう。また、スハルトを打倒するだけの強力な反対勢力はインドネシアに育っていなかった。

そんななか、スハルト政権の土台を大きく揺るがせたのは、一九九七年にタイで始まった通貨危機だった。この経済危機に際し、多くの対外債務を抱え、スハルト一族によって支配されるという不健全な経済構造を抱えるインドネシアも深刻な打撃を受けた。

スハルトはこの通貨危機を乗り越えるために国際通貨基金（IMF）の援助に頼るほかに道はなかった。しかし、このIMFの援助を受け入れることは、スハルト一族とその取り巻きによる経済支配を終焉させることにほかならなかった。一九九七年一〇月には次男のバンバン・トリハトモジョが所有する銀行が閉鎖され、三男フトモ・マンダラ・プトラ（トミー）の香料ビジネスの独占もＩＭＦとの合意により終わりを告げることになった。

この頃から、スハルト政権は崩壊に向かって一気に突き進むことになる。経済発展を目指してきたスハルトの新秩序時代が、経済のつまずきでその終焉を迎えたのは自然なことだったといえるだろう。

一九九八年に入ると、工場の閉鎖が相次ぎ失業者が増加、建築中のビルも次々と工事の中止を余儀なくされた。また米や食料品の値上がりにより、庶民の暮らしもいっそう苦しさを増すようになる。

中部ジャワ出身のスハルトは、スルタン的政権運営を行ったと評されることがある。アスピナルが指摘するように、スハルトの個人支配により一見効率性や国の統一が容易に保たれていた時期もあったにせよ、官僚や政治家が王に忠誠を誓い、王の歓心を買うということにのみ注力するスルタン的政治により、スハルト時代のインドネシアは汚職が溢れる膠着（こうちゃく）した社会になってしまった。そして、国家はその組織的な機能を失い、権力にしがみつこうとする老いたスルタンの行動は〝臣民〟に受け入れられることはなかった。

†暴動に揺らぐインドネシア

一九九八年五月に入ると、スハルト政権に対する国民の不信と反感は、日に日に強まっていった。各地で反スハルトデモが起こり、IMFとの合意に基づき燃料費に対する政府補助が打ち切られ、交通機関の運賃が値上がりすると、反スハルト運動は急速に拡大した。その頃から、インドネシア各地で小売店などを営んでいた、スハルトと直接関係をもたない市井の華僑への襲撃が頻繁に起こるようになる。

そのような状況のなか、スハルトはエジプトのカイロで開催されたG15会議に出席するために五月九日にジャカルタを後にする。この混乱を極める国内状況にもかかわらず外遊を選択したスハルトは、既に理性的な判断能力を失っていたのかもしれない。または、三二年にわたる自らの政権が終焉するということを、現実の問題として想像すらできなかったのかもしれない。

スハルト不在中に首都ジャカルタでは衝撃的な事件が発生する。五月一二日に学生デモ隊と軍が衝突し、学生四名が射殺された。スハルト政権の強権性を象徴するようなこの出来事は二つの結果をもたらした。

まず、スハルトに対する人々の不信と不満は頂点に達し、反政府運動をさらに拡大させたこと。そしてもう一つは、この暴力的な殺人行為により社会全体にヒステリックな感情が生まれ、宗教的少数派である非ムスリム華僑に対する攻撃が激化したことだ。インドネシア各地で華僑の経営する店が襲われ略奪が起きた。ジャカルタでも華僑が多く住むコタ地区では、放火と略奪が横行し多くの華僑が犠牲になった。その数は一〇〇〇人を超えるともいわれている。

この華僑に対する攻撃はプラボウォが扇動したという説が根強く残っている。実際、後の合同調査チームの発表でも、プラボウォの関与の可能性が指摘されている。しかし、それを否定する意見もある。ファドゥリ・ゾンは、合同調査チームの指摘は推論と憶測によって書かれたもので、プラボウォに汚名を着せる政治的策略にすぎないとして彼の黒幕説を完全に否定している。

プラボウォとその取り巻きが密議を行ったと合同調査チームが主張する会議の詳細については、出席者の一人として騒乱の扇動に関する話題は出なかったと証言している。義理の父親でもあるスハルトの辞任は、プラボウォ自身の軍隊での地位を危うくするもので、それを促すような状況を自らつくり出すことは考えにくいというのがファドゥリ・ゾンの主張だ。

†消えない疑惑

筆者は、コタ地区で実際に群衆に襲われた被害者から直接、「襲撃が始まる前に、民間人の服装でカモフラージュしていたが、軍隊のブーツを穿いた男が人々を煽り立てているのを見た」と聞いたことがあり、何らかの形で軍の関与があったと推測されるが、その全容は依然わかっていない。

しかしながら、扇動者がいたにせよいなかったにせよ、多くのムスリムたちが華僑を襲った事実には変わりがない。その動機は、主に経済的な不公平に由来する。しかし、スハルトの腐敗した政治につながる大富豪たちではなく、小さな店を営む庶民の華僑が攻撃の対象になったことは大きな悲劇だった。

この華僑に対する暴力行為はその実行者にとっては単なる殺人や犯罪ではない。多くのムスリムはこの攻撃を「アッラーアクバル！」（アッラーは偉大なり！）と叫びながらイスラームの名の下に実行したからだ。イスラームに限らず宗教は信者の行為を正当化する大義名分を与えることができる。

神の名を用いることにより、行為は神聖なものにさえなり得る。そして、行為者は、神の意志を遂行した者として来世での平安を約束されるのだ。これは「宗教の社会的合理化」と呼ぶことができる。この時期、コタ地区では閉じられたシャッターに「ミリク・プリブミ」（土着＝ムスリム・所有）と書かれた店を多く見かけた。インドネシアがイスラームと非イスラームに大きく引き裂かれた時期だった。

†宗教の社会的合理化

イスラームには異教徒を無差別に殺していいという教えはない。しかし、この「宗教の社会的合理化」――ここではイスラームの社会的合理化――は、それぞれのムスリムたちの暮らしに常に内在している。それを熟知した者は、宗教の名の下に人々を動かすことができる。もし、プラボウォが暴動を扇動したとしたら、彼自身この宗教の機能をよく理解していたということになるだろう。

宗教の社会的合理化が機能し始める第一段階は、人々の心理に大きく関係している。自らの社会的、経済的位置に対する不満、それに伴う優位者に対する嫉妬、搾取されているという思い、それらが憎しみにまで発展する。また、歴史的相克関係も大きな要因になる。そして、次に人々はその負の感情に見合う具体的行動を起こすことを考える。まさにそのとき、宗教的支えが求められるのだ。宗教がその行動の正当性を保証し、神に守られることになる。「神のため」という大前提があれば、殉教者としての名誉を手に入れることもできる。

イスラームのテロリズムを考えると、この「社会的合理化」が機能していることがよくわかる。ムスリムが搾取され差別される立場に置かれ、自らの社会的立場に大きな不満をもったとき、彼らは搾取、差別する側に対して攻撃を敢行する。ユダヤ教やキリスト教などの異宗教との歴史的関係、また政治的関係に力点を置くムスリムたちは、異教徒たちの欺瞞性と偽善性を攻撃の対象とする。

第6章で詳しく述べるが、二一世紀前半に世界で起きているイスラームによるテロリズムの根源は、もちろん十字軍によるイスラームとキリスト教との対立にまで遡って求めることもできるが、その主たる原因は前世紀の終盤に起きた国際政治に大きく関わっている。

これまで述べてきたように、イスラームの社会的合理化はテロや暴動などの現象として表出することが多い。しかし、忘れてならないのはこういった負の側面をもった行為を止めることができるのもまた、イスラームそのものにほかならないということだ。それ以外の世俗的要素が、それを阻止しようとすると、そこには対立しか生まれない。それがもし異教徒であれば、対立はさらに深刻さを増してしまう。その意味で、ジャカルタ騒乱のような悲劇が起きたとしても、インドネシア社会におけるイスラームは負の現象に対する反作用として不可欠な社会的要素であるということができる。

†スハルト終焉とアミン・ライス

一九九八年五月二一日、スハルトは遂に辞任を表明する。それに先立つ一八日には側近であったハルモコ国会議長までもが退陣を進言するなど、スハルトの続投を支持する勢力は既にどこにも存在しなかった。改革を求める国民の声がついに聞き入れられたのだ。

三二年にわたるスハルトの新秩序時代の終焉に際して、二人のムスリム指導者が大きな役割を果たした。ムハマディヤ議長のアミン・ライスとNU議長のアブドゥルラフマン・ワヒド（グス・ドゥル）だ。しかし、この二人が足並みを揃えイスラーム勢力を結集してスハルトと対決したというわけでもない。性格も所属する団体も異なる二人がどのようにこのインドネシアの大転換期に関わったのだろうか。まず、アミン・ライスの場合から見ていこう。

アミン・ライス率いるムハマディヤは一九一二年に設立され、インドネシアで第二の会員数を誇り「近代派」イスラームを代表している。ここでいう「近代」とは、何かが革新的に発展しているという意味ではなく、イスラーム伝播以前のインドネシアの文化や風習に強く影響されたイスラームのあり方を改革していく、そしてインドネシアの「伝統的イスラーム」を本来のイスラームに戻すことを目指すということである。その意味で「近代派」という言葉は、「伝統派」の対極にあるという意味での呼び名でもある。

一九世紀の終わりにスエズ運河が開通したことによって、多くのインドネシアのムスリムが中東へ渡ることがより容易になった。アラビア世界におけるいわゆる「純粋なイスラーム」を学んだ者たちが、インドネシアに帰った後に「インドネシア的イスラーム」を否定的に捉えるようになった。当時、インドネシアには、日課である礼拝はするものの、キブラ（メッカの方角）さえ気に留めないムスリムもいたという。

また、迷信や偶像崇拝的な要素をもつ宗教行為も多く見られ、それらを正し、より純粋なイスラームの教えをインドネシアに広げようという運動が起きた。その先頭に立ったのが、メッカでイスラームを学んだアフマッド・ダフランだ。そして、ダフランはムハマディヤを設立する。

ムハマディヤは現在多くの病院や学校を運営し、インドネシアで人々の生活環境向上のために大きな役割を果たしている。しかし、本来的に「純粋なイスラーム」を強調するがゆえに、その設立以来植民地支配の時代を経て、スカルノ時代にもいわゆるシャリーアを基本にしたより原理的なイスラームに傾倒する会員も多くいた。ムハマディヤには「改革」の精神が属性として宿っているといっていいかもしれない。

そのムハマディヤを一九九〇年代半ばから率いたのがアミン・ライスだ。スハルトの新秩序時代におけるムスリムたちを、アミン・ライスは「虐げられた人々」として、その窮状を回復することの必要性を訴えてきた。

それは必然的にスハルトの取り巻きたちに代表される中華系の非ムスリムに向けられることが多かった。一九九二年には、ジャワにおけるキリスト教の拡大を嘆き、イスラーム系の雑誌においてインドネシアの大企業が非ムスリムたちに支配されていることを批判している。その言動はときに激しく、攻撃的になることも多く、インドネシア社会において宗教に基づく社会意識が増し少数派の非ムスリムたちの立場が脅かされかねないという声もあった。

†アミン・ライスの変化

アミン・ライスがスハルトの支援を受けて設立されたICMIに参加したのも、この「虐げられた人々」を救済するための戦略的な行為だったと考えるのが妥当だろう。ICMIを通じてより多くのムスリムたちを国の中枢に送り込み、イスラーム色をより鮮明にした社会を創出することをライスは望んだ。

ライスは一九九六年一一月に筆者に対して、「アメリカ合衆国の民主主義は、多数派が麻薬の合法化を支持すればそれが実現する。しかし、インドネシアではそうあってはならない。もし何か政治的決定がイスラームの教義に反するものであれば、大多数がそのことに賛成してても認められるべきではない」と述べている。

こういった思想を根底にもっていたとしても、国内第二の規模を誇るムハマディヤを率い、ICMIに参加したアミン・ライスは、ムハマディヤそのものがスハルト時代に生き延びることを模索しながら妥協を繰り返したように、注意深く権力との距離を取りながら賢く振る舞う道を選んだ。

しかし、インドネシアにおけるスハルト支配に陰りが見え始めると、アミン・ライスは素早くその戦略を変更し、スハルトと非ムスリムによる経済支配をこれまで以上に強い口調で批判し始める。一九九七年一月には、ICMIが設立したスハルト政権に近いとされていた日刊新聞の『リパブリカ』に「国家は土地と水、自然資源を国民の繁栄のために使うべき」という意見を発表し、当時のイリアン・ジャヤ州（現在はパプア州と西パプア州）の米国資本のフリーポートなど外国企業がインドネシアの自然資源を「搾取」することを批判した。この記事の掲載により『リパブリカ』の編集局長は更迭され、翌月、アミン・ライスはICMIの幹部職を辞任している。この頃からアミン・ライスのスハルト批判は激しさを増し、改革運動の指導者と社会から認知されるようになる。

一九九八年五月一四日にはアミン・ライスは「国民信託会議」を立ち上げ、スハルトの辞任とインドネシア社会の改革を要求する。学者や政治家、宗教家など五五人の名前がメンバーとして発表された。しかし、なかには本人の承諾を得ずに名前を使用したケースもあり、それが政治的混乱時の結成であったにせよ、アミン・ライスの手法には批判もあった。続く五月二〇日、アミン・ライスは国会議事堂の敷地内になだれこんだ反スハルトデモ隊の前に「改革（Reformasi）」と書かれた鉢巻をして現れ、スハルトの辞任を断固要求すると演説し、国民に反スハルトデモに参加するように呼び掛けた。

これらのアミン・ライスの行動は、五月一九日にスハルトが政権維持のために発表した妥協案を世論が受け入れることを警戒したものだ。このスハルトの妥協案が発表される直前に、スハルトはアミン・ライスのライバルと目されていたNUのアブドゥルラフマン・ワヒド（グス・ドゥル）や著名なイスラーム学者のヌルホリス・マジッドらを招き、意見を聞く機会を設けた。これら有力なイスラーム指導者のお墨付きを得たとの印象を国民に与えたかったのだろう。この提案を通しスハルトは、改革委員会を早急に立ち上げること、内閣を改造しすみやかに総選挙を実施し、次回の大統領選挙に自身は立候補しないことを約束した。

†アミン・ライスの野望

しかし、アミン・ライスが望んだように、スハルトの側近や、それまで常にスハルトを大統領に選出してきた与党ゴルカルを含めた各政党も、スハルトの即辞任を要求する態度に変わりなく、世論にもはやスハルトを大統領として認める空気はどこにもなかった。翌日の五月二一日、スハルトは自ら辞任を発表する。アミン・ライスは国民的人気を博し、海外メディアにも次期大統領候補として紹介されることが多くなった。

ムハマディヤのリーダーとしてのアミン・ライスは、反スハルト運動が盛り上がりを見せる過程で、多数派であるムスリムが経済的に「虐げられた」存在であることを強調し、改革を訴えた。それは、結果的にスハルトの辞任を実現させインドネシア社会が大きく変革するきっかけとなった。

だが、宗教をもとに社会・経済的状況を論じることは、宗教による垣根を社会につくってしまうことにもつながる。そして、それがさらにネガティブな方向に進めば、宗教の社会的合理化機能が働き、多数派対少数派という構図が強調され、ときとしてそれが前者による後者への攻撃を誘発することになる。インドネシアでは、スハルト辞任前後に起きた華僑への攻撃がその最も顕著な例といえるだろう。

アミン・ライスはスハルト辞任後からイスラーム色を極力抑え、ほかの宗教を受け入れながら社会の改革を目指すようになる。スハルト辞任の三カ月後には、自らの政党である

「国民信託党」（PAN）を立ち上げる。

出身母体のムハマディヤの幹部などが主要メンバーとして多く参加したが、非ムスリムも設立に参加した。特に、一九九八年二月に軍によって拉致され拷問を受けた反スハルト運動の活動家で、キリスト教カトリックのピウス・ルストリラナンがメンバーとして名を連ねたことは、独裁政治を否定し新しい時代を創造しようというPANを象徴するものだった。

PANが少なくともその設立宣言で目指したものは、イスラームを強調する宗教政党ではなく、労働者の権利の保障や男女同権、軍縮などを目指す世俗政党だった。大統領の任期を五年として最長二期までに制限することを提言し、独裁政治の復活を否定した。

加えて、スハルト時代に本来の軍事的役割のほかに政治的な役割を認めた軍の「二重機能」を排除することも明確に宣言した。また、より大きな権限を地方政府にもたせる連邦制の導入にも積極的で、インドネシア国家のあり方を根本的に変革するこれらの進歩的な政策は、多くの世俗主義者の支持を得ることに成功した。

しかしその一方で、「虐げられたムスリム」たちの代弁者で、他宗教に排他的とみなされていたアミン・ライスに対する不信が払拭されたわけではなかった。「アミン・ライスは本当に変わったのか」という疑問は人々のもつ共通の自然な感情だった。それに対してアミン・ライスは、「私は変わった。石は変わらない、だが私は石ではないのだ」と反論した。このように、以前とは違い、より強固な国家の建設のためにインドネシアの宗教的多様性を尊重する考えに傾いたとライスが筆者に直接語ったのは、一九九八年一〇月のことだった。

こういったアミン・ライスの変化に政治的野心を見る者は少なくなかった。大統領になるためにより多くの人々の支持を得て、排他的ではない指導者というイメージを植えつけたいのだ、という見方が広がった。スハルト辞任直後には国民的な人気を誇ったアミン・ライスも一九九八年が終わる頃には、その人気に陰りが見え始めてくる。ムハマディヤとは距離を置くとしながらも、この巨大なイスラーム団体の政治的影響力は魅力的で、PANは世俗主義者たちの望む「政教分離」には程遠い現実と向き合っていた。

†アミン・ライスの限界?

反スハルト運動の先頭に立った世俗主義の学生たちからは、アミン・ライスが率いたムハマディヤがスハルトから莫大な資金援助を受けていたことを批判され、また、ムハマディヤ内部からも、アミン・ライスに政治的に利用されているという不満が聞かれるようになってきた。そうした状況のなか、アミン・ライスは、ムハマディヤに準拠するイスラーム勢力と世俗勢力双方からの支持を得ることが重要であり、その両者のバランスを取るという綱渡りの党運営を強いられた。こういったジレンマが、国民的指導者になろうとしていたアミン・ライスの道のりを険しいものにしたのだ。先述のピウスも党のイスラーム重視の姿勢に反発し、PANを離党した。

スハルト辞任後、アミン・ライスが期待したような幅広い人気を獲得できなかったもう一つの理由に、間違ったことを声高に指摘し、非難していく直截的な言動をあげることができる。西洋的な視点からすればそれは至極当たり前のことだが、インドネシア社会は、極端な言動を嫌う傾向がある。特に人口の最も多いジャワでは、そういった率直さが粗雑で下品(カサール)であるとされる。

辞任後も、スハルトに対して多くのインドネシア人は、成人男性に対する尊称で「父」を意味するBapakまたはPakという言葉と共に前大統領を呼ぶことが常だった。だが、アミン・ライスは「スハルト」と呼び捨てにするか、トゥトゥット(スハルトの長女)のお父さん、「Bapaknya Tutut」と皮肉を込めて呼ぶことすらあった。こういった彼の言動が粗雑で挑発的だとして批判されることが多くなってきたのだ。

一九九八年の終わり、ジャカルタの繁華街ではインドネシアで改革の担い手として大きな期待を寄せられていたアミン・ライス、初代大統領の長女メガワティ・スカルノプトゥりそしてNUの指導者グス・ドゥル三人のカレンダーが売られていた。

最も人気があったのはメガワティ、続いてグス・ドゥル、そして最後にアミン・ライスの順となった。一般大衆の心はアミン・ライスから離れ始めていた。イスラームを旗印に改革を目指したとき、国内に宗教による溝が生まれ、結果的にアミン・ライスの意図にかかわらず華僑の攻撃に発展してしまったことに対する人々の記憶は消えることがなかった。

一九九九年に実施された総選挙のPANの得票率は七・一%で三四議席を獲得したが、全体では第五党に終わり、アミン・ライスが目指したイスラームと世俗主義を超えた国民政党として大きな飛躍を遂げることは叶わなかった。

†スハルト終焉とグス・ドゥル

スハルト政権の崩壊と、その後のインドネシア社会で大きな役割を果たしたのは、インドネシア最大のイスラーム団体であるナフダトゥル・ウラマ（NU）の議長を一九八四年から一九九九年まで務めたアブドゥルラフマン・ワヒドだ。人々からは常に愛称のグス・ドゥルで呼ばれ、アジアのノーベル賞と呼ばれるマグサイサイ賞を受賞するなど、国際的な評価も高いイスラーム学者だ。

ムスリムが多数派を占めるインドネシアで、グス・ドゥルは少数派の非ムスリムから厚い信頼を集めていた。社会における少数派の存在の重要さと、すべての人々が平等に暮らすことができる社会をつくる大切さを強調したグス・ドゥルは、インドネシアの良心としてグル・バングサ（国の先生）と呼ばれることさえあった。

グス・ドゥルが長年にわたって率いたNUは、アミン・ライスが率いたムハマディヤの「近代派」に対して「伝統派」と呼ばれる。この伝統は、精霊崇拝や先祖崇拝を含めたインドネシアの文化的・社会的特徴のことを指す。こういった伝統に拒否反応を示さないインドネシアのムスリムの受け皿となったのがNUだ。NUの会員は全国で九〇〇〇万人ともいわれ、おそらく単一の宗教団体としては世界で最も大きな組織の一つだろう。その会員の多くは農業に従事する〝伝統的〟な暮らしを送る人々だ。

インドネシアにおいて長い歴史をもつイスラームの「伝統」を代表するNUが設立されたのが一九二六年で、それを改革する「近代派」ムハマディヤの設立は一九一二年だ。本来なら設立の順序が逆になるのが自然だろう。しかし、そこにはそれまで組織的に団体に集うよりも、それぞれの地域社会においてプサントレン（寄宿舎学校）を運営するウラマ（イスラーム学者）を中心に緩やかにまとまっていた「伝統的ムスリム」たちが、「近代的ムスリム」のムハマディヤによる改革運動の展開に危機感を覚えたという背景があった。NUでは現在、所属するウラマたちによって様々な宗教・社会活動が行われ、国内政治における影響力も強い。その規模からもまた社会における影響力という観点からも、インドネシアを代表するイスラーム団体といっていい。

NUは何人かのウラマによって設立されたが、そのうちの一人がハシム・アシュアリで、グス・ドゥルの祖父にあたる。ハシム・アシュアリは、インドネシアにおいて最も尊敬されるウラマの一人で、その直系子孫であるグス・ドゥルは必然的に人々の敬意を集めることになる。

また、グス・ドゥルの父親でハシム・アシュアリの息子であるワヒド・ハシムは、インドネシアの独立に際して、スカルノらと共に憲法の草案づくりにも加わった高名なイスラーム学者であった。独立後は、インドネシア共和国の宗教大臣を務めたことでも知られている。グス・ドゥルはこういったインドネシアの名家の後継ぎとして常に注目を浴びる存在であった。

インドネシア国内ではプサントレン教育を受け、二〇代の頃はバグダッドやカイロに留学した。帰国してからは、新聞や雑誌のコラムニストとして評論活動を行った。一九八四年にNUの議長に選出され、イスラーム指導者として絶大なる人気を得て政治的にも影響力を増していった。

無論、彼がインドネシアのイスラーム指導者の名家出身であるということは重要な要素であったことに変わりないが、ユーモアあふれる話しぶりやときに他者を戸惑わせるような謎めいた言動なども、グス・ドゥルの国民的イスラーム指導者としての人気を押し上げる大きな理由であった。

スハルト政権時代のグス・ドゥルの存在は突出していた。独裁体制の社会にあってNUを率いるグス・ドゥルは、政権と絶妙な距離を保ちながら自らの団体を守り、それでもときとして妥協を拒み自らの信念を貫き通した。スハルトに対して異を唱えることができる数少ない人物であったことは確かだ。

†グス・ドゥルの改革

グス・ドゥルの政権とイスラームに関する考えが最も明確に表されたのは、ICMIが設立されたときだった。NUの幹部を含め多くの有力イスラーム学者が参加を表明するなか、グス・ドゥルは、ICMIはインドネシアにセクト主義を生み、少数派を脅威に晒す原因になりかねないとして参加を断固拒否した。前述のように、「虐げられたムスリム」の状況を向上させるため、スハルトの支援するICMIに多くのムスリム指導者たちが戦略的参加を決めたが、グス・ドゥルが何より危惧したのは、イスラームが政治に利用されること、そして一部の排他主義ムスリムによって、少数派の立場が守られなくなる社会がつくり出されることだった。

ＩＣＭＩのメンバーたちは「宗教によって問題に対処する」という手法でスハルト政権と向き合おうとしたが、グス・ドゥルは宗教を政治を動かす柱にすることを認めなかった。体制内部からの改革に関してグス・ドゥルは極めて懐疑的であった。そして同時に社会改革にイスラームの旗を掲げることの危険性を強く意識していた。ＩＣＭＩ設立に対抗するようにグス・ドゥルは、スハルト政権に批判的な市民活動家らと共にインドネシアの社会・政治問題について議論するグループ「フォーラム・デモクラシー」を結成した。

一九九八年のスハルト政権末期、反政府デモが拡大すれば、デモ隊を制圧するであろう軍隊に武器を使った市民攻撃の口実を与えてしまう可能性がある、という危惧をグス・ドゥルはもっていた。こういったグス・ドゥルの態度は、決してスハルト支持でも政権の存続を認めるものでもない。ただ、スハルトの即刻辞任という急激な社会変化に伴う負の現象に対して払う代償の大きさを自覚し、警告を発していたのだ。だが、こういったグス・ドゥルの思いとは裏腹に、インドネシアでは急激な変化が起こり、恐れていたことが現実のものとなってしまった。

前述のように、スハルト反政府デモの拡大に伴い華僑への攻撃が始まる。略奪や放火、暴行が横行し、多くの血が流される結果を招いた。この際、多数派であるムスリムがイスラームの名の下に、少数派の華僑を攻撃の対象にしたことは既に説明した。これが宗教の社会的合理化の負の機能である。しかし、この合理化を正の機能に転化させることができるのもまた、宗教そのものにほかならない。なぜなら、行為者にとって負の機能は「神」によって正当化されたものであり、それを覆すには等しく「神」の権威を備えた宗教的理念の提出が必要になってくるからだ。

†グス・ドゥルと少数派

それを実践したのがグス・ドゥルであった。一九九八年五月の騒乱の後、グス・ドゥルは他宗教の指導者らに呼びかけ連名で声明を発表する。それは、宗教や民族がそれぞれ異なるということは神の祝福を受けた聖なる事実であり、それに基づく差別は正義に反すると断じている。

そして、具体的に華僑の被った悲惨に触れ、人々にインドネシア社会を分断するような暴力行為を即刻停止するよう強く求めている。同時にインドネシア最大の自動車会社、アストラ・インターナショナルの設立者である華僑のスルヤジャヤとともに、騒乱を機に海外に避難した華僑インドネシア人に対して帰国を呼びかけている。

こういったグス・ドゥルの行動の根底にあるのは、イスラームが平和を尊重する宗教であるという理解だ。ムスリムであれば、母語が何であれ「あなたの頭上に平和を（アッサラーム・アライクム）」と挨拶する。返事は「あなたにも（ワライクム・サラーム）」である。アラビア語でイスラームの語源はアスラマで「平和を構築する」という意味の動詞である。異教徒を無差別に攻撃するという神学的根拠はどこにもないのだ。

スハルト辞任後の一九九八年七月、グス・ドゥルは自らの政党である民族覚醒党（PKB）を立ち上げて、本格的に政治活動を開始する。アミン・ライスがPANの設立に際し、非ムスリムと世俗主義の有権者を意識して、イスラーム色を前面に押し出さなかったのとは対照的に、PKBはイスラームに基づく政党であることを躊躇なく宣言した。結党理念として、「アッラーに身を捧げること」「アッラーを称えること」をあげ、続いて「ムハンマドの伝統にのっとり、真実と誠実さを尊重し、正義を実現し、統一を守り、ムスリムとしての同胞意識を推進する」と謳っている。

しかし、それまでのグス・ドゥルの少数派に対する思想と態度を充分に知っている民衆は、PKBがムスリムだけのための政党ではないことをよく理解していた。グス・ドゥルは、イスラームの名の下に政治の世界で「正なる」宗教の社会的合理化を実現させたいと考えたのだ。少数派を守り共存するイスラーム、土着文化を受け入れ、シャリーアを国法とせず民族主義に基づく「インドネシアのイスラーム」を創出するという理想をもっていた。

しかし、いくら尊敬を受けるグス・ドゥルでも、それを個人の名の下に行うことは不可能だった。やはり「正なる」ことの実現には「イスラーム」という「聖なる」理念が必要だったのだろう。

†グス・ドゥルの自己矛盾

少数派の保護という観点から、パンチャシラの尊重はPKBの基本理念だった。また、シャリーアに基づくイスラーム国家の建設を目指さないPKBにとって、主権在民を定めたインドネシア共和国の憲法も守るべき国家の柱だった。民主的な選挙によって代表を選ぶ議会制民主主義をインドネシアに根づかせることが、PKBの目指す政治だったといえる。アミン・ライスが提案した連邦制はインドネシアの国家的統一が阻害されるとして、共和制の維持を主張した。

こういったPKBの政策は、すべてグス・ドゥルの思想に基づいている。PKBの党首はグス・ドゥルが指名したため、規約に基づいて手続きを踏むという過程が欠如しているという批判が向けられた。特にインドネシア社会の改革を実現させようと、新しい時代に希望を見出していた若いNUメンバーたちは、年長者であるグス・ドゥルの党運営の手法に疑問を呈したのだ。グス・ドゥルの思想は民主的であるが、その行為は非民主的で前近代的であった。それはそのままウラマに対する服従(タクリッド)を尊重するNUの伝統ということでもある。

そういった批判に対し、グス・ドゥルは「自分は今の世代で、若い彼らは明日の世代。違いがあって当たり前」といって意に介することはなかった。本来ならば、時間がかかる民主化という変化をグス・ドゥルは性急に進めようとした。そこには、スハルト政権崩壊時に時間をかける改革を訴えた彼自身の言説と矛盾が生じてしまう。民主主義を定着させるために、まず非民主的である必要があった。その自己矛盾はグス・ドゥルの弱点であり、同時にダイナミズムでもあった。

一九九九年の選挙でPKBは、一二・六一%の得票率で五一議席を獲得し、第四党になった。続いて行われた国民協議会による大統領選挙で、最大得票を獲得した闘争民主党(PDI-P)の女性党首であるメガワティが大統領になることを嫌ったイスラーム勢力の協力を得る形で、グス・ドゥルは第四代大統領に就任する。しかし、それまでの政治の慣例を無視した政権運営や野党折衝、細かいことにこだわらない大雑把な事務処理などの影響で国会との関係が悪化し、二〇〇一年に罷免されその職を追われた。

その後PKBでは主導権争いが起こり、グス・ドゥルの党内での影響力は急激に低下した。大統領辞任後も、グス・ドゥルは、インドネシアにおけるすべての民族の融和と宗教の共存を実現すべく精力的に活動した。しかし、二〇〇九年一二月三〇日、六九年の生涯を閉じた。国葬には現職大統領をはじめ、多くの人々が参列した。グス・ドゥルの墓は生まれ故郷の東ジャワのジョンバンにある。その墓には、彼を偲んで訪れる人が後を絶たない。

第 4 章

教義と実践の狭間で
——ムスリムたちの実情

人々の信仰を集めている聖人ムバ・プリオックの墓の入口

†異なるムスリムの態度

インドネシアの若い友人の子どもに、ウルトラマンの絵柄のシャツを日本の土産（みやげ）として贈ったことがある。その友人は、アラビア語やコーラン解釈専門の大学を修了した大変厳格なムスリムで、イスラームの神学的理解も深い。その子どもの成長に合わせ、インドネシアを訪れるたびに、新しいシャツを土産としてもっていった。

しかし、子どもはいつ会っても筆者が贈ったシャツを着ていなかった。そこで、遅まきながら気づいた。友人は、ウルトラマンや人形が描かれているシャツを子どもに着せなかったのだ。偶像崇拝につながる、という危惧があるためだろう。友人に尋ねると、「その通り」という答えが返ってきた。じゃあ早くいってくればいいのに、と笑い話になった。そして筆者は自らの無神経さを詫びたのだった。

インドネシアのムスリムがすべてこの友人のようだとは限らない。実際にほかの友人にウルトラマンでもぬいぐるみでも贈ると大変喜んでくれる。また、あるとき、インドネシアのムスリムの友人と東京で立ち食いそばの店に入ろうとしたが、アルコールを含むみりんを使った汁はダメなのではと思い至った。しかしその友人は「アルコールは沸騰したら蒸発するから大丈夫」という。このように考えるムスリムも実際にいるのだ。

ウルトラマンのシャツを拒んだ友人のようにイスラームの教えを厳格に守ろうとするムスリム、反対に自らの暮らしに合わせて柔軟に対応するムスリム、この両者が存在することを様々な機会に感じる。個人の生活もそれぞれだが、社会全体も時がたつことによって必然的に変化する。そうしたムスリム個人のあり方や社会状況の変遷に、イスラームはどのように対応しているのだろうか。

実生活で困難に陥ったときに、ムスリムはどのような行動を取るのか、あるいは教義上は受け入れられないとされている性的少数者として生まれたムスリムたちはどのように生きるのか、これらを手掛かりに、教義に従うことの意味と現実、そして信者と社会の関係性について考えることを本章の主題としたい。

†有機体としての宗教

これまで述べてきたように、イスラームに限らず宗教を理解するには、教義に関わる神学的視点と現象に関わる社会的視点がある。それを「イスラーム社会」「ムスリム社会」という言葉に置き換えてインドネシアのウマットを具体的に観察してみたい。

前者ではコーランやハディースに記された教義を確実に実践していくことが重要で、決して妥協を許さない。いわゆる教条主義者というのは、このいまだに実現していない「イスラーム社会」の構築を目指す者たちで、彼らの生活はイスラームの原理によって規定され、日常的に行われる生活はその具現化にほかならない。

後者は、信者の個人的背景やその地域特有の文化や習慣、歴史、実際の社会状況などが影響し、柔軟性をもってイスラームの教えを実践していく社会だ。その際に、しばしばイスラームの純粋性を脅かすような、教義を逸脱したムスリムの行動を見出すことができる。

しかしながら、ムスリム自身にその自覚はなく、自分はイスラームの正しい実践者だと信じてやまない。そういったムスリムが多数派で、緩やかに教義を実践しているのがインドネシア社会であって、前章で述べたグス・ドゥルが意図したのは、「ムスリム社会」の維持発展であったということもできる。原理的な教義と信者の行為の間に齟齬が生じるということは、どの宗教、どの社会においても共通する現実だろう。宗教は時空を超えて変化を遂げるのであって、その意味で宗教は有機体であると捉えることができる。

例えば、日本にもたらされた仏教やキリスト教が、それぞれゴータマ・シッダールタやイエス・キリストの時代のそれらとそのまま寸分なく重なるわけではない。毎年大晦日から元旦にかけて日本全国の神社仏閣は、大勢の参拝客でにぎわう。それぞれ願い事が叶えられるように、その年を平安にすごせるようにと手を合わせる。賽銭箱には人々の願いが込められた硬貨や紙幣が次々と投げ入れられる。願い事が書かれた絵馬も境内のそこかしこに吊るされる。

しかし、年末年始の時期を除けば観光名所でない限り、神社仏閣がそれほど多くの人で溢れかえることはない。おそらく、年末年始の参拝客の大半は、常日頃からその宗教的教えをよく理解して神社仏閣詣でをしているわけではないだろう。この世での願い事が叶えられるように、つまり現世利益（げんせりやく）を求めて神や仏を拝むのだ。また、長い年月をかけて信仰されてきた宗教は、その原理的な教えとは別に人々が新たな解釈や慣習をつくり出していることも珍しくない。

†イスラームの聖人崇拝

インドネシアにおいても、日本で見られるこういった「お参り」は決して奇異なことではない。多くのムスリムたちがワリと呼ばれる聖人たちの墓に詣でる習慣がある。また、断食明けに先祖の墓を家族で訪れる風景も一般的だ。彼らは、聖人や先祖に家内安全や商売繁盛、不吉な出来事からの保護などを願って祈りを捧げる。しかし、亡くなった者に対する「お願い」はイスラームの教義では認められていない。第2章でも触れたが、祈念は生きている者に対してのみ許され、また祈りは、イスラームの神であるアッラーに対してのみ許されている。そしてその願いの結果は、アッラーのみが与えることができる。その根拠は、コーランの教えに見出すことができる。

なんの証拠も授けられていないのに、いたずらに神のみしるしに異論をさしはさむ者、このような輩の胸の中にあるのは、つかみようのない驕りの気持だけだ。よって、汝、神に救いを求めよ。まことに神はよく聞くお方、よく見るお方である。（第四〇章五六節）

それは、生きたもうお方。神のほかに神なし。おまえたち、誠心誠意、神にお仕えし、崇拝したてまつれ。万有の主に栄光あれ。（第四〇章六五節）

これらは、イスラームの大原則であるアッラーのタウヒード（アッラーの唯一性）に基づいた教えだ。

北ジャカルタのあるモスクの敷地内にアブ・バカール・アライドゥルスという聖人の墓がある。イスラームの教えではモスク内に墓をつくることは禁じられている。しかし、このモスクには毎日多くの人々が訪れ現世利益を求め祈っている。モスクのまわりでは、身を守ってくれるという指輪が「お守り」として売られている。また実際にアブ・バカール・アライドゥルスの墓の前で祈りを捧げると、その場で指輪を買い求めることができる。そして、祈禱師がその祈りの言葉を唱えながら指輪にワリの超人的な力を注入してくれる。

しかし、こういった「物」に神性を見出すことは本来、イスラームの教義からは大きく逸脱しているのだ。

†ローカルな聖地と神話

アブ・バカール・アライドゥルスの墓のほかにも人々の信仰を集めている「聖地」がインドネシアにはある。ジャカルタ港湾地区のタンジュン・プリオックにある、預言者ムハンマドの末裔といわれている聖人ムバ・プリオック（正式名は、ハビブ・ハサン・ビン・アル・ハダット）の墓だ。

五ヘクタールの広大な敷地内には、一〇〇〇人以上を収容できる集会場や宿舎、ムバ・プリオックの子孫であるハビブ・アリの家などがある。この「聖地」には毎日、ジャカルタのみならず全国からバスでムバ・プリオックの利益を求めて巡礼者がやってくる。イスラームの聖地はサウジアラビアのメッカ、利益を与えることができるのはアッラーのみのはずなのに、ムスリム巡礼者はムバ・プリオック詣でをやめる気配はまったくない。

二〇一〇年四月、このムバ・プリオックの墓が全国的に注目を浴びる事件が起きた。この聖人を信仰する地域住民や敷地内に住む信者らと警官隊が武力衝突し、死者を出す事態に陥ったのだ。

衝突の発端は、タンジュン・プリオック地区の再開発に伴い、土地の所有者の国営企業がハビブ・アリらに立ち退きを求めたことだった。ハビブ・アリとムバ・プリオックの墓の敷地は、植民地時代にオランダから土地所有の承認を得ている。そのためここは国有地であると会社が主張したのだ。しかし、ハビブ・アリ側の抵抗は激しく、警察は強制的に退去させることに失敗した。この衝突はメディアでも大々的に取り上げられ、ムバ・プリオックの墓にはますます多くの人々が訪れることになった。ムバ・プリオックの聖なる力が警官隊を退けたというのが、ハビブ・アリの説明である。

ハビブ・アリらはこの「聖地」と「聖人」に関する書物を出版し、訪れた信者らに販売している。それによると、ムバ・プリオックは一七二七年にスマトラのパレンバンでムハンマドの子孫として生まれ、二九歳のとき、イスラームの布教のためジャワ島に向けて船で出発した。

ところがその途中、植民支配者のオランダから激しい攻撃を受けた。奇跡的にムバ・プリオックの乗った船は危機を脱したが、航海に必要なものはすべて海に投げ出され、残ったのは炊いた飯を入れるプリオックという木製の器だけだった。それから二カ月間何とか航海を続けたが、プリオックの乗った船は荒天によりついに転覆してしまう。

亡くなったムバ・プリオックはバタビア（現在のジャカルタ）の海岸に流れ着き、その横にはプリオックがあった。住民はムバ・プリオックを櫂を目印としてその場に葬り、プリオックをその横に置いた。

しかしその後、その櫂は地域住民にタンジュンと呼ばれる木として大きく成長し、海に流されたプリオックは三年から四年ごとに家の大きさにまで巨大化し、海上に現れるようになった。その後、住民たちはそのあたりを「タンジュン・プリオック」と呼ぶようになったという。ハビブ・アリの説明では、家の大きさほどになったプリオックはムバ・プリオックが人々を包み込むほど慈悲に溢れていることの象徴であるという。

それから二三年後、オランダ植民政府はムバ・プリオックの墓のある地域を新しい港として開発しようと工事を開始したが、工事作業員やオランダ政府関係者の死が相次ぎ、開発計画に支障が出始めた。あるとき、白い服を着て手に数珠(じゅず)(タスビ)をもった男がムバ・プリオックの墓の前に座っていた。そこで、オランダ政府はイスラームを極めた一人のムスリムにその男の正体について調べることを依頼した。

その男はそこに葬られたムバ・プリオックで、パレンバンにいる弟を探し出すことを望んでいることがわかった。オランダ政府は早速弟のハビブ・ザインを探し出し、バタビアに呼び寄せた。兄と神秘的な交信をしたハビブ・ザインは、ムバ・プリオックが現在の墓があるコジャ地区への移動を望んでいることを知らされた。つまり、現在ハビブ・アリが居住しているムバ・プリオックの墓の敷地は、預言者ムハンマドの子孫に選ばれた「聖なる地」だということだ。これが現在伝えられているムバ・プリオックの神話としての「聖なる物語」である。

†墓の神聖化

しかし、このハビブ・アリらが語る神話には疑問も投げかけられている。インドネシア・ウラマ評議会(MUI)によれば、ムバ・プリオックの祖父のハビブ・ハミッドの生まれは一七五〇年で、一八二〇年にパレンバンで死亡しており、ハビブ・アリらから提出された「神話」の年代と矛盾している。また、タンジュン・プリオックという地名も一六世紀初めには既に使用されていたという。加えてムバ・プリオックの墓は、スハルト政権時代の一九九七年に、近くのセンペル地区の共同墓地に強制的に移動されている。しかし、ハビブ・アリはこの事実を強く否定し、住民の多くもムバ・プリオックはセンペル地区ではなく、コジャ地区に眠っていると考えている。

このムバ・プリオックに関する神話は、墓と子孫を神聖なる存在とすることに大いに貢献している。超自然的な数々の現象は、信仰することによりその聖なる存在から利益をいただこうとする者の心に働きかける。ハビブ・アリらが出版した二〇一〇年四月の警察隊との衝突に関する記録集は、ムバ・プリオックの墓を神聖化する「物語」で満たされているのだ。

タンジュン・プリオック地区は、ムハンマドの子孫であるムバ・プリオックの墓がある神聖な土地で、このアッラーによって祝福された土地をもしないがしろにすれば、人々は不幸と苦しみに襲われるというのがハビブ・アリらの主張だ。

記録集にはその具体例が列挙されている。例えば、一九九七年八月に政府がムバ・プリオックの墓を強制移動したときのことだ。実際は移動が完了したのだが、ハビブ・アリらはいまだにその事実を認めてはいない。その移動に関わった行政官や工事に従事した者が次々に病に倒れ死亡した。また、墓の移動のためにもち込まれた採掘機材も使用不可能になり、結局工事は中断したというのが、ハビブ・アリが信者に提供する「物語」である。

この強制移動の代償は大きく、翌年スハルト政権はムバ・プリオックに敬意を払わない振る舞いのために、ついに崩壊の憂き目にあったという。記録集にはそれのみではなく、さらに不思議な出来事も語られている。スハルトの辞任の際に起きたジャカルタ騒乱の前、信者がムバ・プリオックの墓から赤い光線が巨大な火の玉と共に出ているのを目撃したというのだ。

ムバ・プリオックの神秘的な力にまつわる話はさらに続く。二〇〇三年四月、国が墓の移動とハビブ・アリらの退去を強く求め、実際ハビブ・アリの家族を一二日間拘束した。その不敬なる行為の代償が、翌年スマトラのアチェを襲った地震と大津波であるという。

そしてムバ・プリオックの聖なる力を示す物語のクライマックスは、二〇一〇年四月二七日の警官隊との聖なる戦いの場面だ。その日、押し寄せた武装警官の数は七〇〇〇人、ハビブ・アリらは約七〇人の信者で墓の敷地を守ることになった。しかし、信者の多くは武器ももたないいまだ十代の若者だった。放水車やブルドーザーが敷地に入ろうとした瞬間、それらはすべて停止、そして、警官隊によって投げられた石は軌道を逸れて、ムバ・プリオックの信者たちに決して当たることはなかった。

†教義に反する物語

最も感動的で偉大な「奇跡」は、信者らがムバ・プリオックの墓で加護を求めて祈りを終えたときに起きた。墓の前に高さ三五メートルの巨人が現れ、何百羽もの鳥が石を侵入者である警官らの頭上に落とし、馬に乗った白装束の兵士たちが侵入者を追い散らした。不敬者はすべて海に落ちてしまった。

これらの「奇跡の物語」の信憑性は別にして、ハビブ・アリらは結局、墓の敷地を追われることはなかった。記録集には明確に、ムバ・プリオックに対して敬意を欠き、その眠りの平安を乱す者は不治の病にかかり、不幸のどん底に突き落とされると記されている。そして、イスラームの根本教義の一つである来世（アクヒラット）においても同様の不幸から逃れられることはないとしている。

しかし、イスラームの教義の原理性という観点からこの記録集を検証すると、極めてその本質からずれていることがわかる。ハビブ・アリらの主張する数々の奇跡は、人間によって創作された迷信や神話などの「物語」であり、イスラームでは信じることが禁じられている。コーランの以下の箇所にその教えを見ることができる。

もし彼らにむかって、「神が下したもうたものに従え」と言うならば、彼らは、「いな、われわれは祖先が見いだしたところに従う」と言うであろう。いったい彼らの祖先がなにもわからず、正しい道に導かれなかったとしてもなのか。（第二章一七〇節）

この啓示は、アッラーによる導きこそが正しいのであって、それ以前の時代から伝えられてきた物語は害になるのだと教えている。イスラームがもたらされた時代の歴史的背景を考えると、この教えの意味がより明確になる。

イスラームがムハンマドに伝えられる以前、つまり「先祖」の時代はジャーヒリーヤ

（無明時代）と呼ばれ、人々は迷信とそれぞれの部族の神々の物語に支配されていた。それが、部族間の争いを招き、人々の理性的な行動を妨げてきた。コーランの教えはこういった人間の暮らしに見られる「闇」の要素をすべて取り去るという意味をもっているのだ。

ちなみに、この「ジャーヒリーヤ」という言葉は、イスラーム以後と比較して「邪悪」で「暗黒」という意味で使用されるが、現代では世俗主義を含むイスラームを否定するすべての社会状況をジャーヒリーヤと呼ぶことがある。インドネシアでシャリーア施行を目指すムスリムたちも、現状への批判を込めてこの言葉を頻繁に使用する。

ハビブ・アリとその信者たちのムスリムとしてのあり方は、イスラームの原理的理念からはかなり乖離している。独自のムバ・プリオックという神的な存在を介して、信者たちはその社会生活のなかで救いを見出している。同時に、ハビブ・アリがムハンマドの子孫であると強調することで、イスラームとのつながりも保障される。それゆえ、彼らがイスラーム教義の純粋性を度外視しても、自らの暮らしと信仰をその状況に適応させながらムスリムとして存在することが可能になる。これこそが「ムスリム社会」なのである。

†「ムスリム社会」の属性

ムバ・プリオックの信者たちの暮らしと行動からは、「ムスリム社会」がもっているいくつかの特徴を読み取ることができる。まず、その世俗性だ。ハビブ・アリが毎週開催している集会で強調するのは、ムバ・プリオックを通じてアッラーに願えば、長寿、健康、より良い仕事、富が手に入るということだ。その言葉に人々は熱狂的に応える。ムバ・プリオックの墓の参拝者は世俗的な願いをもっている。負債を返済したい者、健康を取り戻したい者など、ムバ・プリオックの奇跡によってもたらされるより良い人生の実現を願っているのだ。

ムバ・プリオックの墓の敷地内でボランティアとして働く四〇代後半の男性は、ムバ・プリオックが起こす奇跡を信じて疑わない。仕事で疲労していてもムバ・プリオックのために働くときは眠気を催さず、家族が交通事故に遭ったときもムバ・プリオックに祈ると痛みが消えたという。これらはムバ・プリオックが願いをアッラーに伝えてくれたからこそ実現したのだと強く信じ、ムバ・プリオックが信者を守ってくれていると感じている。

次にあげられる「ムスリム社会」の属性は、その神秘性と宗教性である。ムバ・プリオックのもつ神秘的な力は、イスラームの教義の原理性とは必ずしも呼応しないとしても、宗教としてのイスラームは常に強調されている。ハビブ・アリの宗教講話ではそれが頻繁に言及される。すなわち、ムバ・プリオックを崇拝すれば、より良いアクヒラットが約束されるというのだ。

水を「聖水」に変える祈り

ハビブ・アリがコーランを唱えながら祈るとき、信者はボトルに入った水を一斉に差し出す。祈りによってその水は清められ聖水となると信じている。ムハンマド、ムバ・プリオックの末裔であるとされるハビブ・アリの宗教的力がなせる業ということだ。

そのほかにもムバ・プリオックの力が発揮されるのが、タンジュンの木とプリオック、木製の櫂が描かれたステッカーだ。それを家の扉に貼れば、ムバ・プリオックが災いから守ってくれるという。

また、人間に対する寛容性と自由な発想を「ムスリム社会」の三つ目の属性としてあげることができる。ハビブ・アリは、すべての人間は国籍や人種、宗教、性別、そのほか社会的地位などにかかわらず、ムバ・プリオックに受け入れられるとしている。彼の言葉を借りれば、ワルナ・ワルニ（様々な色）は常に尊重されなければならない。「すべての人間」の範疇は、限りなく広く、ハビブ・アリにとってイスラームで禁じられている飲酒や賭けごとをする人間すらも救済される対象である。

　このハビブ・アリの悪人救済論は、鎌倉時代に浄土真宗の開祖である親鸞（しんらん）が唱えた悪人正機（しょうき）説ともつながる。阿弥陀仏（あみだぶつ）やムバ・プリオックというオリジナルな「神」とは異なる存在を介して、社会から見捨てられた者を救うという機能を宗教が発揮している。

　イスラームや仏教の原始的原理とは必ずしも合致しないが、罪を犯す者があふれる現実とどう向き合うかという問いから導き出されたのが、このハビブ・アリの教え、または親鸞の教えなのではないか。言葉を換えていえば、社会の状況がこれらの悪人救済論をつくり上げたということだ。つまり、既に起きてしまった事柄や人々のあり様を鑑（かんが）み、イジュティハード（人間の理性による解釈）によって導き出したものが、彼の説くイスラームなのだ。

†多様化する社会への対応

　ムスリムは、コーランやムハンマドの言行録（ハディース）などの慣例（スンナ）を行動の基準にしている。つまり、イスラームは人間のあり方、日々の暮らしのあり様を厳密に規定しているのだ。

しかし、ムスリムの暮らしや社会のあり方はムハンマドの生きた時代から変化し続けている。コーランやハディースに言及されていない事柄が現代にはあふれている。例えば、近代科学医療が可能にした臓器移植などはムハンマドの時代には行われていなかった。また、原子力発電も近代科学の発明である。こういった多様に変化する社会にイスラームはどのように対処するのか。

コーランやハディースに「回答」が見つからない場合、イスラームの知識が豊富なウラマと呼ばれる法学者らが理性をもって推論（キヤス）し合意（イジマ）を得て行動の規範とする。イスラームの主流派であるスンニー派には、四つの法学派（マズハブと呼ばれ、ハナフィー派、ハンバル派、シャフィイー派、マーリク派を指す）があり明確な指針をコーランやハディースに求められない場合は、それぞれの解釈をその都度示している。インドネシアのNUはこのマズハブの決定を重視する。

それに対して、ムハマディヤはウラマの決定に無批判に従うことを嫌い、個人のイジュティハードを奨励している。イスラームには、キリスト教のように教えの全体を統括する宗教的な絶対的権威者は存在しない。例えばインドネシアでも断食の始まりの時期が統一されない場合があるのはこのためである。

　ムハンマドの時代には行われていなかった臓器移植の是非について、コーランには、この世のすべてのものがアッラーのもち物であるという教えが示されており、体の一部を他者に提供することは禁止されていると考える法学者も多い。

　例えば、「天にあるもの、地にあるもの、すべては神に属する。よろずのものは神のみもとに連れもどされる」（第三章一〇九節）というコーランの一節がある。しかし、今日では医療技術の進歩に伴い、臓器移植を許されたこと（ハラル）とする考えが主流だ。インドネシアでは、二〇一〇年にウラマ評議会が臓器提供者が死亡していること、呪術的な方法によらないこと、商業目的でないことなどを条件とし、臓器移植を認める宗教的判断を発表している。イスラームは社会の変化に対応する柔軟性をもっているのだ。

　このようにイスラーム教義の原理はコーランとハディース、ウラマによって提示された解釈とその決定に求めることができる。そこから「ムスリムはこうあるべき」という理念が生まれ、それに規定される社会が「イスラーム社会」だ。

　ただし、市井の人々が暮らす社会では、ムバ・プリオックの信者らがそうであったように、イスラームの根本理念を逸脱したかのような行動が取られる場合がある。いうまでもなくその「逸脱」がウラマという宗教的権威に保障されたものであればいいが、多くの場合、「ムスリム社会」における人々の行動は、社会の暮らしから発生してきた「庶民の解釈」に基づいている。

†弱者や少数派の救済

先述したムバ・プリオック信仰には、本来のイスラームの原理的な視点からは罰の対象となる人々を救う現象を見出すことができた。それは、イスラーム法学者たちの合意による正式な教義解釈とは別に、ハビブ・アリがムハンマドの末裔であるという宗教的権威とイジュティハードによって説いている教えで、「ムスリム社会」の具現化であるということができる。

このように社会における少数派、弱者、規範から外れた者に居場所を与え、その存在を肯定する機能がイスラームに限らず宗教全般に備わっている。しかし宗教は同時に、社会的少数派に対して、その存在を否定する根拠にもなり得る。例えば、同性愛は、イスラームにおいては決して認められないというのが、その宗教的解釈だ。その根拠となるのがコーランの次の一節である。

また、ロトを遣わしたときのこと。彼はその民に言った、「おまえたちは、世界中のだれ一人いまだかつて行なったこともないような恥ずべきことにはしるのか。おまえたちは、女を退けて欲情をもって男にはしるとは。しかり、おまえたちは破廉恥な民である」

（第七章八〇〜八一節）

この節では、男性同性愛を否定しているに過ぎないが、次の箇所では、明確に人間を男と女に分けていることから、女性の同性愛も認めないと考えられている。

おお、人々よ、われらは、おまえたちを男女に分けて創造した。おまえたちを種族と部族に分けておいたが、これは、おまえたちがたがいに知りあうためである。おまえたちの中でもっとも尊い者は、もっともよく神を畏れる者である。神は全知なるお方、よく通暁（つうぎょう）したもうお方である。

（第四九章一三節）

シャリーアが施行されている中東やアフリカの国々では、同性愛行為を宗教的背徳として死刑の対象にすることも珍しくない。しかし、同性愛行為はムスリムの生活のなかで、歴史上かなり受け入れられていたようだ。ただそういったムスリム間の同性愛は、決して教義的に認められたものではなく、密かに行われていたいわばムスリムとして非公式の行為であった。そして、同性愛者はあくまでも限られた少数派であり、イスラームの教義を逸脱した罪人として隠れて生きる弱者にほかならなかった。インドネシアにおいてもそれは同様で、イスラームはこういったジェンダーに関わる問題にも大きな影響力をもっている。

インドネシアには女を意味する「ワニタ」、男を意味する「プリア」という言葉が合成された「ワリア」という言葉がある。ワリアは男でありながら女性として生きようとするトランスジェンダーを意味する。ワリアという言葉には侮蔑的な響きがあり、寛容性の溢れるといわれるインドネシアにおいて社会的に受容されているとはいいがたい。ワリアは同性愛者であり、イスラームの教義は彼らを認めることはない。インドネシアにおいても、ワリアは路上で流しの歌手として生きるか、売色の徒として生計を立てるかという極めて限られた社会生活を送ることを強いられている。

そういった社会的弱者、打ち捨てられた〝罪人〟としてのワリアをインドネシアのイスラームはどのように扱うのだろうか。「イスラーム社会」ではその存在を否定される彼らは、「ムスリム社会」で生きる道はあるのだろうか。

†トランスジェンダーのイスラーム学校

インドネシアのイスラーム寄宿舎学校を「プサントレン」という。「サントリ」と呼ばれるプサントレンの生徒たちは、敬虔(けいけん)なムスリムとしてアラビア語やコーランについて日々学習している。イスラームの教義を正しく理解し実践していくための修練の場がプサントレンなのだ。いま、このプサントレンを、絶対的少数派で社会の隅でしか生きることができないワリアの人々のよりどころにしようという試みがインドネシアで始まっている。

スルタンの治めるジャワ島の古都ジョグジャカルタは、第2章でも述べたように少数民族などに寛容な町でもある。そのジョグジャカルタで、二〇〇八年にインドネシアで初めてワリアのためのプサントレンが設立された。小学生から高校生を対象にする通常のプサントレンではなく、成人したワリアたちがイスラームについて学び、礼拝の場として利用するというコミュニティーセンター的な性格をもった施設だ。設立したのは二人のワリアで、そのうちの一人の自宅がプサントレンとして開放された。

テロリストなどの襲撃に遭うことはなかったが、当初の活動は極めて限られたものであった。さらに財政面や運営の問題などがあり、このプサントレンがワリアのためのコミュニティーセンターとしての役割を充分に果たすことはできなかった。自宅を提供した設立者の一人ムルヤニが二〇一四年に亡くなったが、その数年前には、活動停止状態だったという。

「ワリア」と呼ばれるトランスジェンダーとして生きるシンタ

しかし、ムルヤニと共にプサントレンを設立したシンタが、財政面などの困難に直面しつつも、二〇一四年以降はワリアのための居場所づくりに奔走している。一九六二年生まれのシンタは、ジョグジャカルタにあるインドネシアを代表する国立ガジャマダ大学で生物学を専攻した。実家は伝統的銀製品を扱う店を営み、シンタ自身も現在は銀製品のデザインや販売で生計を立てている。シンタは小さい頃から自分が男であることに違和感を覚え、高校を卒業すると女性の身なりで生活を送るようになる。

シンタに対して家族は驚くほどの寛容性を示した。女装するシンタを矯正しようとすることもなく、ワリアである「息子」を受け入れて暮らした。ただ一つ家族がシンタに望んだのは、娼婦として生きるようなことがないようにということだったという。

「開かれたもの」を意味するアル・ファタという名のこのプサントレンには、数人の「寄宿生」がシンタとともに暮らしている。また毎週イスラームに関する講話の会、毎月第二日曜日には学術関係者や宗教指導者を招いた講演会が開催されている。アル・ファタに通う「学生」は合計四〇名程で、その職業は風俗関係、路上パフォーマー、美容師など様々だ。

インドネシアではワリアに対する差別も根強く、公務員や一般企業に就職するという道も実質的に閉ざされている。また、家族や地域社会にも受け入れられず、ホームレス同様の生活を送るケースも多い。そのため、ワリアの多くは充分な職業技能を身につけることもなく、非合法の風俗業に身をゆだねることになってしまう。

†トランスジェンダーへの保護と援助

アル・ファタはこういったワリアの社会的状況を向上させることを大きな目標の一つにしている。例えば、一カ月にわたる職業トレーニングコースを毎年開催し、ワリアの社会的自立を支援している。内容は料理、裁縫、美容などに分かれており、毎回十数人の参加を得ている。

そのほかにも、保健所と協力してワリアに対する無料医療相談なども実施し、ワリアが適正な社会生活を送ることができるように手助けをする努力を続けている。アル・ファタの「寄宿生」のアユは、料理コースを受講し地域にケータリングの食事を提供する事業を始めた。アユにとって、ワリアであることはアッラーから与えられた真実であって、性転換手術を含めて自らを変える必要性を認めていない。インドネシアのワリアのなかには、高額な費用が必要なこともあり、性転換手術を受けていない者が多い。シンタもその一人である。

こういったワリアは、いわゆる性同一性障害であると考えられるが、シンタ自身はワリアを「障害」だと考えることはない。シンタにとってワリアは、男性や女性と同じ「性別」の一つであり、確立したアイデンティティなのだ。

こういった考え方は、インドに残るヒジュラと呼ばれるトランスジェンダーの集団にも呼応する。そして、ワリアという「性別」はアッラーから与えられた歓びでもあるという。シンタがワリアの存在はイスラームにおいて正当性をもつと考える根拠は、コーランに求めることができる。女性が自らを守るために体の部分を覆うように命じる節で、ワリアともとれる男性の存在が明記されている。それは、コーラン第二四章三一節の「欲望をもたない男」という部分だ。

アル・ファタに集うワリアにとって、イスラームは自らの性的アイデンティティを否定するものではなく、むしろその存在を守り導いてくれるものだ。イスラームに受け入れられることは、一般社会に受け入れられるよりも少なくとも精神的には大きな安らぎを得ることができる。シンタもアユも口をそろえて、人生におけるイスラームの重要性を強調している。彼らが実社会において、いかなる差別や不合理を被ったとしても、それに耐える力を与えてくれるのがイスラームであり、アッラーの承認であるということができる。同時に、イスラームはワリアのみならず、社会におけるほかの構成員に対しても大きな力をもっている。

絶対的少数派であり、社会的にも差別や偏見にさらされている、いわゆる性同一性障害者や同性愛者に対して、西側諸国では法的整備や個人の理解を促すことで彼らを救済し、異なる者が共存する社会の構築に努めている。それは日本も例外ではない。しかしながら、イスラームが多数派を占めるインドネシアのような社会では、そういった手段のみでは性的マイノリティーは否定される存在から脱することはできず、常に社会的弱者として精神的にも実質的にも損害を被る危険性と隣り合わせで暮らさなければならない。

そういった状況を打破するために、イスラームという宗教が大きな意味をもってくる。アッラーの承認を得ることで、ムスリムたちの態度や思考に変化をもたらすことが可能になる。ワリア自身とほかの信者にイスラームが働きかけることによって、両者が共存できる社会の創出につながる可能性もある。しかし、イスラームにおける性的マイノリティーを法学的に正当化できるのは、シンタらワリア自身ではなく、ウラマたちである。彼らはこの性的マイノリティーに対してどのような考えをもっているのだろうか。

✝ウラマの見解

インドネシアのウラマの大多数は、ワリアに対して否定的な見解をもっている。実際、インドネシア・ウラマ評議会（MUI）は二〇一四年に、ワリアを含むLGBTはイスラームに反し罰の対象であるという判断を下している。しかし、ワリアを受け入れイスラームにその居場所を与えようとするウラマもいる。アル・ファタがあるジョグジャカルタのウラマたちだ。

シンタを幼い頃から知っているという、自らもプサントレンを運営するアブドゥル・ムハイミンは、ワリアを含めた人間、動物、そして植物などすべてがアッラーによって創造され祝福された存在であるといって憚(はばか)らない。すべての人間は、アッラーの下では差別されないというアブドゥル・ムハイミンの「万人平等説」の根拠となっているのが次のコーランの一節である。

すでに、われらはアダムの子らを貴(とうと)び、陸に海に彼らを運んでやり、もろもろのよきものも授けてやった。われらはほかにも多くのものを造ったが、そういうものにまさっ

て多くの恩恵を彼らに施してやった。（第一七章七〇節）

ここで述べられている「アダム」とはすべての人間を意味しており、アッラーは人間を差別せず平等に大地と海を与えたという。この考えは、ジョグジャカルタのウラマ評議会の議長を務めるトーア・アブドゥルラフマンにも支持されている。彼自身は、非公式ながらシャリーアに基づいた鞭打ちの刑を実施するなど、厳格な宗教学者として知られているが、ワリアに関しては「万人平等説」の立場を取り、実際のアル・ファタの設立を後押しした人物でもある。

トーア・アブドゥルラフマンによれば、男性と男性、女性と女性の間における性行為はイスラームでは禁じられているが、ワリアは男性でも女性でもない「性」のもち主でありワリア同士の交わりはソドミーに当たらないという。ワリアを全排除しようとすることは、イスラームが人間を正しく扱わないことであり、コーランの教えに反しているというのだ。ワリアが障害や疾病ではなく、神から与えられたアイデンティティであるというのも、この二人のウラマに共通した認識である。

アル・ファタを後押しするウラマたちは、ワリアを「アッラーによって創造された人間」として認めたうえで、宗教的には脇道にそれてしまった者と考えている。アブドゥル・ムハイミンは、人間には「無知の者」「道徳上の罪びと」「犯罪者」「独裁者」の四つの種類があり、シンタらワリアを「無知」つまり正しい道を知らない者と位置づけている。無知なる者は、正しい道を教えられなくてはならない、というのがイスラームの基本であるという。

しかし、ワリアに限らずすべての人間は無知に根差す「罪」を背負っており、ワリアだけが道をそれているわけではない。重要なことは性的なアイデンティティにかかわらず、すべてのムスリムがよいムスリムになる努力を続けるということだ、とアブドゥル・ムハイミンは強調している。

何者をも見捨てない、という姿勢はイスラームがヒューマニズムに根差しているからこそ生まれる。また、アブドゥル・ムハイミンやトーア・アブドゥルラフマンの見解に比べて、さらに画期的な宗教解釈をするコーランの専門家もいる。例えばアリフ・サフリは、先述のロトに関するコーランの啓示について、アッラーの怒りの原因は同性愛という行為ではなく、ロトの住民たちの普段の行いにあったと解釈している。よって、いわゆるLGBTの人々はイスラームにおいて問題なく受け入れられるべきだと考えている。

こういったウラマは、インドネシアではまだ少数であり、彼らがワリアに対して神学的な正当性を確立しているわけではない。しかし、イスラームの法学者たちが弱者を引き受け、イスラームにおける居場所を与えようとしていることは、ワリアが現実に存在していることに対するムスリムの自然な反応であって、ここに「ムスリム社会」の存在を見ることができる。

†宗教と社会の方向性

現世利益の可能性を提供し、イスラームの戒律を守れなかった者に居場所を与えるムバ・プリオック信仰や、社会のなかの少数派で安定的な生活基盤をもたないワリアを引き受けるプサントレンは、イスラームであることを強調してはいるが、その教義の原理性を忠実に実行しているというよりも、むしろ社会のあり方に大きく影響され、人間であるムスリムに合わせていることがわかる。

ムバ・プリオック信仰の場合は、物質崇拝主義ともいえる現代文明が大きく関わり、ワリアのプサントレンは、同じく現代文明がもつ弱者が生き残れない競争至上主義に対する対症療法的反応と見ることもできる。

宗教を理解するには、教義の純粋性を特に重視する立場と、社会との関係性に重きを置く立場の両者の存在を認識する必要がある。宗教は、社会との関係により信者の行動が多様化していく有機体である。

これをイスラームに当てはめれば、これまで述べてきたように「イスラーム社会」と「ムスリム社会」がその有機体の重要な構成要素ということになる。厳格にイスラームに従おうとする者にとっては、ムスリム社会に安住する者は異端者であり、逸脱した信者でしかない。だが、救いなき地獄に信者が落ちないように、有機的にイスラームが展開しているということもまた事実である。

そしてこの二つの「社会」は明確に線引きされ、それぞれが独立して存在しているわけではなく、ときとして互いの領域が重なり合う。「ムスリム社会」の住人は、ムスリムとしてイスラームの本質を理解し行動する者として自らを常に位置づけているし、「イスラーム社会」を構築しようとする者は、六信五行(ろくしんごぎょう)などの基本信条以外の現代的な諸問題に関してはイジュティハードを用いて、現代社会に生きることを決して放棄したわけではないからだ。

ここで注意しなければならないのは、ウラマの決定が「イスラーム社会」と「ムスリム社会」の両者を計り、様々な要素を鑑みて決定する現実主義であるのに対し、テロリズムは、厳密にいうとその社会に暮らすあるムスリムまたはグループが、イスラームの原理を無視した解釈によって生み出した暴力主義にほかならないということだ。その意味では、テロリストはイスラームの原理を追求する「イスラーム社会」の住人ではなく、「ムスリム社会」に住んでいる。

しかしながら、テロリストが現実に存在するとしても、「ムスリム社会」の人々の大半は、平和を望み、ほかの宗教との共存を求めている。例えば、伝統的な神学解釈を超えて、新たなイスラームを創出しようとする「自由主義者」もいる。この「自由主義」は、伝統的な教義理解をその根本とする「教条主義」と対立することが多く、インドネシア社会でも大きな問題となっている。こういった教条主義者たちを、イスラームの原点に忠実であるという意味ではサラフィストと見ることもできる。

次章では、その「自由主義」と「教条主義」の関係について考察する。

第 5 章

終わらない対立
――教条主義と自由主義

アブ・バカール・バアーシル(左)／グス・ドゥル(右)

これまでのインドネシアにおける調査活動を通して、教義の遂行に妥協をしないいわゆる教条主義的ムスリム、反対に社会や個人の状況に応じて柔軟に行動するムスリムの両者との出会いがあった。

†ムスリムの声を聞く

スハルト政権崩壊以前は、教条主義者は地下に潜るか亡命生活を送っていた。しかし、改革の新たな時代が来ると、彼らは「自由に」活動を始めた。なかでもイスラーム防衛戦線(FPI)、マジュリス・ムジャヒディン・インドネシア(MMI)、ヒズブット・タフリール・インドネシア(HTI)などは、教条主義的な団体の代表だ。筆者はこれらの団体の創設者や幹部に幾度も聞き取りを行った。また、自らの理性を駆使して新たな教義解釈を試みる自由イスラムネットワーク(JIL)などの自由主義的なムスリムとは、スハルトの新秩序時代から多くの会話を交してきた。

それらの会話を通じて、彼らのムスリムとしての思想、態度、そして苛立ちや希望といったものを目の当たりにすることができた。本章では、これまでのリサーチノートをもとに彼らがそれぞれ何を求め、どのような活動をしているのか、インドネシアという国家でどのように自らを位置づけているのかなどについて、できるだけ忠実に書き記したいと思う。

†自由主義の担い手

ポスト・スハルト時代にその宗教的カリスマと政治力でインドネシアの変革に最も大きく貢献したのはグス・ドゥルであるといっていいだろう。スハルトの辞任後インドネシアは、人々の自由が制限され閉塞した社会から、開かれた自由な社会に大きく転換していくのだが、そのプロセスを通してグス・ドゥルの思想を受け継いで大きな注目を浴びたのが、いわゆるイスラーム自由主義運動である。その頃から、自由主義の担い手とも呼べる若い世代が台頭してくる。

自由主義の担い手の一人ウリル・アブシャー・アブダラ

ウリル・アブシャー・アブダラは、その代表的な人物だ。一九九〇年代半ば、グス・ドゥルが、多くのウラマやムスリム活動家らが参加した全インドネシア・ムスリム知識人協会（ＩＣＭＩ）に対する批判を強めていた頃、後に自由イスラームネットワーク（JIL）を設立し活躍することになる彼は、グス・ドゥルの思想を受け継ぐ無名のNU活動家だった。ウリルは中部ジャワのプサントレンで教育を受け、その後ジャカルタにある、アラビア語やコーランを中心に学ぶことができる大学相当の教育機関（リピア）で奨学金を得て学んだエリートでもある。そこには、イスラームの教義の厳格な実行を目指す者が好んで通うが、ウリルはその教育の保守性に飽き足らず途中でリピアを去ってしまう。

伝統派NUは、キヤイと呼ばれるイスラーム指導者たちが運営するプサントレン（イスラーム寄宿舎学校）教育を通じて、全国で活動を展開している。NUのプサントレンにおいて、キヤイは最大限の尊敬を受け、多くの場合地域社会のリーダーとして尊敬を集めている。

キヤイはサントリ（プサントレンで学ぶ生徒）にとって絶対的な存在だ。これは、ある意味でインドネシア的、ジャワ的な年長者を敬うという伝統に影響を受けている部分もあるだろう。グス・ドゥルは大キヤイであることは間違いない。しかし、ウリルはこういったキヤイ重視のNUの伝統に対してさえ革新的な態度をもって臨んだ。後に詳しく述べるが、大キヤイであるグス・ドゥルに対してもそれは変わりがなかった。

†イスラームと民主主義

ウリルはシャリーアを施行しないインドネシア共和国体制を最終的な政治形態と考え、支持している。また、イスラームの原理においては、政治とイスラームが結びつくことは至極当たり前のことだが、ウリルはイスラームが政治的に利用されるのではないかという危惧をもっている。イスラームはあくまでも個人の信仰の問題であって、国家がシャリーアによって人々を統制するべきではないというのが彼の基本姿勢だ。

イスラーム国家建設やシャリーアの国法化に反対の立場を取っていたインドネシアのイスラーム指導者は少なくなかったが、それらは既に社会的地位を確立したいわゆる大物イスラーム思想家たちの発言だった。若く無名なウリルがこういったことを公言するというのは、極めて「非伝統的」なことだった。それは彼がイスラームの革新運動を担っていくという決意の表れだったのだろう。

スハルト政権が崩壊した一九九八年は、インドネシアにとって大きな転換期だった。それまで、強権的な手法で弾圧され続けてきた人々の自由が保証され、独裁主義から民主主義へ移行する絶好の機会でもあった。政府に追随する政党だけではなく、自らの主張をもった政党が次々に設立され、インドネシアは一気に民主化へと進み始めた。その頃から、ウリルの発言は注目を集めるようになる。自由主義イスラームの若手論客として、国内外のメディアに登場することが多くなった。

イスラームとはあくまで個人の心の問題であり、政治的に社会全体のシステムとしては機能させないというウリルの姿勢は、イスラームそのものを否定していると捉えられることもあり、教条主義とは逆の意味で過激な思想でもあった。多民族、多宗教社会であるインドネシアが本当の意味で民主化されるためには、イスラームを政治的アイデンティティにしてはいけない、という彼の主張は、政教分離を是とする西側諸国に歓迎され、いわゆる「良いイスラーム」のリーダーとみなされることも多くなった。

こうしたウリルの自由主義的思想が、グス・ドゥルの影響を受けていることは確かだ。世間では、ウリルをグス・ドゥルの思想的継承者と見る者も多かった。実際、グス・ドゥルとウリルは師弟ともいえる関係である。しかしながら、両者の間で軋轢がなかったわけではない。例えば、スハルト退陣後、グス・ドゥルがスハルトの家族と親しくすることには批判的だった。NU出身のウリルが、NUのみならず全国で最も尊敬されるイスラーム指導者の一人であるグス・ドゥルに対して公に反対の意を表することは異例だったが、両者とも意に介す様子はなかった。

まるで成長していく息子が父親を乗り越えようとして衝突するようで、家族の関係を見ているようだった。当時グス・ドゥルも筆者に対してウリルを決して否定しているわけではなく、その成長を見守っていることをうかがわせる発言をしている。そのときの言葉は「私は今までの世代、そしてウリルはこれからの世代」というものだった。

†自由イスラームネットワーク

二〇〇〇年代に入ると、ウリルは新しいイスラームの解釈を次々と発表し始める。同時に若いムスリム思想家やジャーナリストらと頻繁に討論会を開催し、「新しいイスラーム」について活発な議論を重ねていく。その活動から、「自由イスラームネットワーク」(JIL)が生まれてきた。この集まりはメディアからも注目されたし、特に西側諸国は九・一一同時多発テロに代表されるような「怖いイスラーム」の対極としてこの自由主義イスラームのJILを「良いイスラーム」として歓迎したようだった。実際に、JILはアメリカなどの団体からの援助を受けていたとされている。

二〇〇二年一一月、ウリルはインドネシアで最も読まれている全国紙『コンパス』に自らのイスラーム解釈を発表した(Abdalla2002)。この論文はたちまちインドネシアで大議論を巻き起こした。イスラームをコーランに書かれた通りに理解するのではなく、イスラームが存在するそれぞれの地域の文化的文脈によって解釈し、実践していく必要性を訴える内容だった。コーランに書かれたことのみを実践すればいい、と考えるムスリムにとっては驚きだったに違いない。ウリルは、宗教としてのイスラームが歴史のなかで発展を続けると考えているのだ。

『コンパス』への投稿においてウリルは、女性が「隠すもの」を意味するヒジャブ、「体を覆う布」を意味するジルバブと呼ばれる頭や顔を隠すスカーフを被ることや、盗人の手を切り落とすことなどはアラビアの文化的伝統であり、それらをインドネシアという文化圏で実践する必要はない、と主張したのだ。ムスリムたちは、ウマットという枠を超えて、もっと広く異教徒とのつながりをもつべきではないかとも述べた。それを推し進めれば、ムスリムの女性が異教徒の男性と結婚することも許されるべきだとした。

ウリルは、その論文で「アッラーの真実はコーランよりもハディースよりも偉大なのだ」と述べている。それは、一見コーランやハディースを否定しているように聞こえるが、彼の本意はムスリムたちがイスラームの核心を見なければならないということだった。例えば、イスラーム団体という組織を守るために、イスラームの教えがないがしろにされることはないか、という問いかけだった。

論文で注目されたのは、ほかの宗教の教えはイスラームの教えに比べて劣っているわけではなく、ムスリムは異教徒からも学ぶことがあるという思想だ。ウリルは、キリスト教や仏教、儒教、ユダヤ教、道教のなかにもイスラームに共通する真実があるのではないかという。加えて、無神論を基本とするマルクス主義の哲学にさえイスラーム的真実があるかもしれないと主張した。

†イスラームの美

こういった革新的ともいえる解釈を実践していくために、人間の主体的な姿勢が必要だとウリルは主張する。それは、イスラームで認められているイジュティハードを最大限生かしていくこと。コーランに書かれていることのみに頼るのではなく、そこに書かれていないイスラームの真実は、イジュティハードを通して人間が探していくべきだというのである。

アラビア語の文献を読みこなすウリルは、イスラームの歴史には意見の不一致が多く存在していたことをよく承知しており、神学的な見解の相違を「イスラームの美」と呼ぶ。そして彼が強調するのが、イスラームのもつ寛容性だ。信仰の告白（シャハダ＝アッラーは唯一の神、ムハンマドはその使徒）をした者はすべてムスリムであり、お互いに尊重すべきだという。そこには、シーア派も、ミルザー・グラーム・アフマドによって設立されたイスラームの新興グループであるアフマディヤも含まれている。

アフマディヤはアフマドを最後の預言者として信じることから、多くのムスリムはイスラームの教えから逸脱しているとしている。アフマディヤは後にガーディヤーン派とラホール派に分裂したが、インドネシアではアフマドを預言者とする教えを堅持している前者は認めず、後者は問題ないとするムスリムもいる。ウリルによれば、こういった少数派に対する慈悲心、寛容の心、そして連帯の思いをもつことがイスラームの究極的な本質である。こうしてイスラームは、虐げられた者に対する救いを常に提供するというのがウリルの主張である。

一般に「聖戦」と訳されているジハードについても、ウリルはイジュティハードを駆使して解釈している。ジハードはただ単なる異教徒を攻撃するための戦争ではなく、よりよいムスリムになるための精神的戦いと実質的な武力による戦いがあるとされ、前者は「偉大なジハード」、後者は「小さいジハード」と呼ばれている（Baidhawy2011）。

小さいジハードはさらに「攻撃的ジハード」と「防衛的ジハード」に分けられるが、ウリルは「攻撃的ジハード」は、国家間の国境が存在しなかったムハンマドの時代には有効であったが、現代社会の状況には適合しないと考え、ムスリムが攻撃的ジハードに参加する必要性を認めていない。

また、様々な社会問題を解決するには、世俗の法律ではなくシャリーアが最も有効だというムスリムの考え方は、個々の問題を根本的に解決するという姿勢を妨げるという。さらにウリルは、教典の記述のみを重視するいわゆる教条主義者たちに対して、科学的理性、つまり「事実」として記されている文字を解釈する能力はあるが、イスラームが包括している必ずしも明記されていない「真実」を見極めるための宗教的理性と精神性をもち合わせていない、と批判する。

『コンパス』に論文を発表した後、ウリルはイスラーム強硬派グループから死刑宣告を受ける。殺害が実行されることはなかったが、その後も彼に対するいくつかの暗殺未遂事件が起きた。公開討論会などに出席予定のウリルに殺害予告が送られ、直前に参加を取り止めたこともある。また、ジャカルタの彼の事務所に爆破物が郵便として送られ、受け取った職員が死亡したこともあった。それでも、ウリルは自らの活動を止めることはなかった。イスラームの美しさは、様々な議論によりさらに磨かれるという信念があったからだ。

✝ウリルへの賛否

これまで本書で述べてきたインドネシアの文化的、歴史的背景を考えるとウリルの思想は多くの人に支持されてもおかしくない。教条主義者たちの賛同は得られないとしても、イスラームの原理性やサラフィスト的な厳格性に重きを置かない多くのムスリムには、受け入れられやすい思想だろう。しかし、一部の市民活動家や宗教指導者にはよく理解されているものの、ウリルの考えがインドネシアの大衆の支持を得ているとはいいがたい。

その理由の一つとして考えられるのは「自由イスラームネットワーク」(JIL)というウリルが主導するイスラーム運動の名前だ。「自由イスラーム」というとき、その対極に「自由を否定するイスラーム」を想定していることになる。そこから生まれるのは自由なイスラームとそうではないイスラームの対立である。

いわゆる「ムスリム社会」に生きる多くのムスリムたちは、自らが教義を柔軟に解釈しながら実践しているという自覚はほとんどない。むしろ、女性はジルバブ(ヘッドスカーフ)を被り、男性はモスクで行われる金曜礼拝に必ず参加するなど、ムスリムとしての行為を目に見える形で実践している。彼らは、イスラームの原理を変革するような〝自由なムスリム〟、つまり逸脱した信者として他者から認知されることを極端に嫌うのである。

同時にイスラームの原理性をなによりも重要視する「イスラーム社会」を実現しようとするいわゆるサラフィスト的教条主義者たちにとっては、「自由なイスラーム」も「自由でないイスラーム」も存在せず、あるのはイスラームそのものだけであって、ことさら「自由」を強調するウリルの運動を拒否するのは当然のことであった。

そして、ウリルが期待したであろう、教条主義者以外の、つまりインドネシアのムスリムの大多数からも支持を得ることはできなかった。ウリルに対する批判は強く、暴力主義の過激派の対極にある「自由主義の過激派」というレッテルを貼られることになった。

ウリルの考えは、彼の師ともいえるアブドゥルラフマン・ワヒド（グス・ドゥル）に大いに影響を受けているし、シャリーアに対する姿勢などもほとんど変わりがない。しかし、グス・ドゥルはほかのムスリムから死刑宣告を受けることはなかった。グス・ドゥルの国民的人気は、彼が亡くなった際に多くのムスリムが国葬に参列し、現在でも多くの信者が墓に詣でることからもよくわかる。

†自由主義の行き詰まりと希望

では、なぜウリルの「自由イスラームネットワーク」は、グス・ドゥルのように支持されることがないのか。グス・ドゥルには、キヤイとしてのカリスマ性があった。ナフダトゥル・ウラマ（NU）を設立した祖父、共和国の宗教大臣を務めた父をもつグス・ドゥルは、自らもNUの議長を長く務めた。彼の民衆に対する影響力は絶大であった。しかし、ウリルにはそのカリスマ性が欠けていた。

彼は、「知識」によって大衆に語りかけたが、やはり大衆には理解しづらい。カリスマ性や権威をもたない若いムスリムが話す言葉をそのまま受け入れるだけの文化的土壌がなかったといってもいいだろう。

アラビア語で四大法学派の文献を読みこなし、歴史的にイスラームには様々な意見の食い違いがあり、法学論争があったことを知るウリルが、現代社会においてもイジュティハードを駆使して新たな解釈を求めることが重要だと説いてみても、それが「逸脱した信者」のレッテルを貼られる危険性を内在する限り、「ムスリム社会」の住人が同調することは決してない。

ウリルは知識人として「自由イスラームネットワーク」を設立したが、論理性や合理性を重視するその姿勢は、感情を大きな行動の指針とする大衆の支持を得られないという宿命を背負っている。そこにウリルの苦悩と憂鬱が存在する。

ウリルはグス・ドゥルのようなカリスマ性をもつことはできないが、近代的知識人としてソーシャルネットワークの一つであるツイッターで情報を発信している。そのフォロワーは何十万人にも及ぶという。グス・ドゥルがそのカリスマ性で大衆とつながったように、ウリルもテクノロジーでより多くの人とつながり、彼の思想がさらに広がる日がくるのかもしれない。

また、二〇一五年頃からウリルはそれまでとは異なった形態での活動を始めた。イスラーム哲学者のアル・ガザーリの著書をテキストにして、イスラームが現代的な問題にいかに向き合うかということをテーマに全国各地で講話会を開催するというものだ。ウリルはその活動を通して「自由主義イスラーム」という言葉を使うことはない。しかし、「これまでと同じことを異なった方法で行っている」と彼は考えている。彼の講話はインターネットを通じて中継され、多くの視聴者を集めている。それまで、彼を「自由主義の過激派」として批判していた者が、「誤解だった」とSNSを通じて伝えてくることもあるという。

†ラマダン時の襲撃

インドネシアだけではなく、イスラーム世界ではラマダン（断食月）はとても神聖な期間だ。ただ断食するだけではなく、ムスリムは一年間の自分の過ちを友人や家族に詫び、許しを乞う。心を静めて、自分を顧みるときでもある。筆者はかつてムスリムの友人から、ラマダンの間は声を荒げて怒りを表すことを控え、ムスリムの人たちに敬意を払わなければいけない、という忠告を受けたことがある。実際、ラマダンはムスリムにとってのみならず異教徒にとってもムスリムとの共存という観点から大きな意味をもっているのだ。

しかしながら、インドネシアに住む異教徒である外国人のなかには、ラマダンであっても自分たちのライフスタイルを崩さない者も多くいる。仕事が終わった後や週末には、バーやレストランで酒を飲むことを楽しみにし、ラマダンに関係なく酔態をさらす者も少なくない。そういった行為は個人の自由であり、権利の一つだといってしまえばムスリムでもない彼らが責められるいわれはないが、その行為をイスラームに対する敬意の欠如と感じるムスリムが多くいることも事実だ。

今日のイスラーム世界と西欧との対立を考えるとき、「好悪」とは別に「敬意」という心理的な要素が大きな意味をもっていることに気づく。決定的な対立を回避するためには、相手の状況や立場についてしっかりとした認識と理解をもつことが重要だろう。しかし、それをないがしろにして、西欧人が自らの伝統である「権利」のみをもって相手と対すればそれが反発となって返ってくる。そんな事件が二〇〇四年にインドネシアでも起きた。

ジャカルタはインドネシア随一の都会で、東南アジアでも外国人の数は多い。その年のラマダン月に、外国人が集うレストラン街のカフェを一部のムスリムが襲撃したのだ。そのカフェは、ラマダンであるにもかかわらず酒の販売を続け、イスラームを冒瀆(ぼうとく)したというのが理由だった。

†イスラーム防衛戦線の実態

スハルト政権が崩壊し、レフォルマシ(改革)が進みインドネシア社会では様々な変化が見られるようになった。大統領や地方自治体首長の直接選挙の実施や、汚職撲滅のための国民運動の盛り上がりなどは、レフォルマシの結果として政治的な自由と社会正義がインドネシア社会に根づき始めたことを感じさせた。しかし、同時に既に述べたように強権的な政治手法を取っていたスハルト政権にその活動を抑えられてきたムスリムたちの活動も目立つようになってきた。

一九九八年八月に結成されたイスラーム防衛戦線（FPI）もその一つで、二〇〇四年の断食月にカフェを襲撃したのもこのFPIのメンバーだった。設立者はサウジアラビアの大学で学び二〇一三年までFPIのリーダーを務め、後に終身イマム（導師）となったハビブ・リジックで、インドネシア社会の不道徳を是正することをFPIの目的として掲げた。

その設立に際しては、警察や軍関係者らが支援したともいわれている。また、開発統一党（PPP）の支持母体としての役割も期待されていた。しかし、彼らは新興イスラームグループのなかでも武闘派で、暴力的手段に訴えて行動することが頻繁にあった。インドネシア版『プレイボーイ』誌の発刊や、米国の歌手で同性愛などを支持するレディー・ガガのコンサート開催に反対する大規模な抗議行動をはじめ、イスラームの少数派グループであるアフマディヤを攻撃するなど、極めて危険な団体としてインドネシア社会で認知されている。

しかし、このFPIはほかのイスラーム団体と多くの宗教的理念を共有するとしても、大きく異なる点がある。それは、インドネシア社会のドロップアウト、つまり底辺層のメンバーを多く抱えていることだ。先に述べたように、設立者のハビブ・リジック自身は留学経験のあるエリートだが、末端のメンバーはふだん社会的には注目されることもなく、自らの存在に意味を見出せない若年層が多い。

彼らの無思慮ともいえる過激で暴力的な行動は、イスラームという庇護（ひご）がなければ単なる犯罪に過ぎないが、ひとたびイスラームの名において行われればそれは神聖なムスリムの行為に転化する。彼ら自身は、急激な近代化、西欧文明の流入によってもたらされたインドネシア社会の退廃をイスラームによって正していくという大義名分を掲げ、「正義の味方」として自らを社会に位置づけることで存在の意義を見出しているということもできる。

FPIのメンバーに接するとき、彼ら一人一人がユーモアにあふれ、隣人に優しくまた人情深いということを知って驚愕することがある。こういったごくありふれた若者を何が犯罪者にも等しい暴力主義者に変えてしまうのだろうか。

†ブタヴィ族のエカ・ジャヤ

二〇〇四年にカフェを襲撃して逮捕され、数カ月投獄されたのは、五代も続くブタヴィ族のエカ・ジャヤという青年だった。FPIには彼のようにブタヴィ族のメンバーが多い。ブタヴィ族はジャカルタの原住民であり、ジャカルタの歴史はブタヴィの歴史であるといってもいい。これまで様々な外国文化の影響を受け、独自のブタヴィ文化を形づくっている。彼らはインドネシア語の母音である「ア」を「エ」と発音する独特の話し方をする。

2004年のカフェ襲撃で逮捕されたFPIのメンバー、エカ・ジャヤ

それはちょうど、江戸っ子が「ヒ」を「シ」と発音することに似ている。

エカ・ジャヤの住むクマン地区は、元々ブタヴィ族が多く住む土地だが、今では外国人向けの高級マンションや家賃が何十万円もする住宅、レストランやカフェが密集しているジャカルタでも屈指の「セレブの街」になった。だが、先祖から受け継いだ土地に貸家を建てて生計を立てる一部の裕福なブタヴィ族がいる一方で、クマンには高級レストランやマンションの裏で貧しいブタヴィたちが長屋街に肩を寄せ合って暮らしているのも事実だ。エカ・ジャヤにとって、ムスリムというアイデンティティとブタヴィのそれは決して切り離すことのできない「コインの裏と表」のような関係だ。

しかし、本来イスラームは民族や国を超えるアイデンティティを是とする理念をもっている。イスラーム以前のアラビア社会では、いくつもの民族がそれぞれの神を信仰し、自分たちの民族を守るという理由で戦いが起きていたのだ。その後、イスラームがもたらしたものは民族という小さな枠を超える、よりダイナミックな人間共同体であるウマットだった。とはいうものの、人間がそれぞれの民族の矜持（きょうじ）を守りながらムスリムとしてほかの民族のムスリムとウマットを形成するということも現実には起こりうる。既に第4章でも引用した箇所であるが、コーランには、異なる民族が存在することを認めているし、民族同士の交流を勧める啓示がある。

おお、人々よ、われらは、おまえたちを男女に分けて創造した。おまえたちを種族と部族に分けておいたが、これは、おまえたちがたがいに知りあうためである。おまえたちの中でもっとも尊い者は、もっともよく神を畏れる者である。神は全知なるお方、よ

く通暁したもうお方である。（第四九章一三節）

エカ・ジャヤも自らのアイデンティティを説明する際に、コーランのこの節を引いている。民族や国を超えたムスリムの連帯をつくり出すためには、その第一歩として民族の存在を認めることが現実として不可欠であるということができるだろう。それは、これまでも述べてきた、理念としての「イスラーム社会」に対して、それぞれの社会状況を基盤とするいわゆる「ムスリム社会」の存在を裏づけることにもなる。

†襲撃の理由

エカ・ジャヤのカフェ襲撃が、暴力であり犯罪であることは紛れもない事実だ。だが、その犯罪を生み出した要因に目を向けることが、彼の行動を包括的に理解することにつながるのではないだろうか。考えなければならないのは、インドネシアに住む外国人との関係だ。

かつて植民地時代がそうであったように、現代のインドネシア、特にジャカルタのクマン地区に住む外国人はインドネシア人を雇用する側にいる。そして彼らは現地住民よりもはるかに豊かな生活を送っている。自国では到底住むことができないような豪邸に住み、運転手つきの車に乗り、家では何人もの使用人が用事を済ませてくれる。そして、自分たちの国の生活習慣をインドネシアにもち込んで、インドネシア社会との接触を避けるように暮らしている外国人もいる。

そんな外国人が多く集まるのが、エカ・ジャヤが生まれ育ったクマンだ。しかし、かつてブタヴィたちが土地を耕し、平和に暮らしていたこの地域では、ジャカルタの開発が進むにつれ、徐々にショッピングセンターやレストランが立ち並ぶようになった。既に述べたように、所有していた土地を運よく売却し、裕福になったブタヴィもいたが、大部分は徐々にジャカルタの発展から取り残されていった。そのことをエカ・ジャヤは隅に追いやられたと感じたのだ。

西洋諸国と協力して実現したスハルト政府の「開発」は、ブタヴィ族のムスリムたちに、自分たちが犠牲者であるという意識を植えつけた。エカ・ジャヤにとって非ムスリムの外国人は、新植民地主義者にほかならない。そして、その支配者たちが、神聖な断食月のラマダンにイスラームを軽んじるような行動をとった。それは、インドネシア社会の退廃の証であると同時に、ブタヴィ族のムスリムにとって屈辱であり、また正すべき社会悪であると考えたのだ。

繰り返すが、ＦＰＩの一連の暴力的運動もエカ・ジャヤのカフェ襲撃も決して容認されるものではない。しかし、そこには暴力を生み出した社会の現実があったのだ。グローバリズムの広がりと共に生み出される経済格差に対し、繁栄の外側にいる者たちは、ときに宗教という衣をまとい、成功者たちに対して嫉妬やそれから派生する憎悪の思いをもち戦いを挑む。その場合、宗教的信念よりも実生活において抱く感情が勝っていることの方が多い。

エカ・ジャヤの暮らす家は、近代的なホテルやレストランが林立するクマンの一角の長屋街にある。そこに一族が住み、多くの隣人と肩を寄せ合うように暮らしている。決して裕福とはいえない環境だ。エカ・ジャヤはサッカーの有力選手としてスポーツ専門の高校に進み、ジャカルタ選抜チームの一員として、姉妹都市の東京にも遠征の経験がある。しかし、怪我でサッカー選手としての夢が破れると、警備員などの仕事で生計を立てるようになる。それは当初望んだ華々しい成功とは無縁の人生だった。

†過激行動の裏側

ＦＰＩのメンバーの多くは、社会において注目を浴びることのない若者たちだ。彼らは、社会的に成功を収め、日々充実した人生を送っている者たちに敵意を抱くか、いつの日か自らも成功者として認知されたいといういずれかの思いをもって暮らしている。ＦＰＩの集会を訪れた際、日本から来た筆者に対して、「日本に仕事はないだろうか」と親しげに話しかけてきた白装束の若いメンバーたちの顔には、暴力主義に支配された過激派の影はなかった。

イスラームとの共存を考えたときに、もちろん宗教的な融和は大きな問題になる。しかし、同時に社会状況にも目を向ける必要があるだろう。FPIの過激派たちの行動は宗教的というよりもむしろ社会的な動機に根差している。経済的により豊かな異教徒である外国人が、新たな植民地支配を受けていると感じているムスリムに対して、イスラームを顧みない振る舞いをすることがどのような結果をもたらすかということをもう一度考えなければならない。

FPIによる数々の過激な行動は、一部の政治的思惑をもった者たちが賃金を支給してメンバーを動員しているとの指摘もある。つまり、低賃金労働者または無職のムスリムたちが、宗教的な理由とは別に政治的な道具として利用されているというのだ。クマンのカフェにしても、地元住民に迷惑料などを払わずにいたから嫌がらせをされたという分析もある。その真偽はあきらかではないが、そういったムスリムがいても不思議ではないのがインドネシアの社会状況だ。

過激派とみなされているエカ・ジャヤだが、異教徒を無条件に排斥することはない。互いの宗教を否定しない限り共存は可能であるといって憚らない。実際、異教徒である筆者を客人として自宅に招いてくれたこともあった。イスラームという宗教そのものが暴力的であるという誤解を生まないためにも、インドネシアのみならず世界に広がる格差と新植民地主義的考え方としっかりと向き合うことが重要になってくるだろう。

†ヒズブット・タフリール・インドネシアとイスマイル・ユサント

インドネシアのイスラーム団体のなかでも、動員力があり組織としてよくまとまっていたのは、ヒズブット・タフリール・インドネシア（ＨＴＩ）だろう。後述するがＨＴＩは二〇一七年に政府から活動禁止処分を受けている。

ほかのイスラーム団体とは異なり、ヒズブット・タフリールは全世界的な組織で、一九五三年にエルサレムで、タキウディン・アル・ナブハニによって設立された政党だ。イスラーム国家の樹立や植民地主義の排除、そしてイスラーム的生活の確立をその目的としている。今では、中東をはじめ、中央アジア、アフリカ、北米、ヨーロッパにもその活動範囲を広げている。ヨーロッパや中央アジアなどでは、その過激な活動で知られているが、インドネシアのヒズブット・タフリールは非暴力の方針を貫いている。

政治や社会状況に対して常に活発な発言をしているが、国内で政党としての登録はせず、

HTIの中心人物イスマイル・ユサント

一九八〇年代からダクワと呼ばれる伝道活動を大学のキャンパスを中心に展開し、インテリ層にその支持者を増やしていった。また、代表者を置かず集団的な運営をしている。それでも、中心となって活躍している人物はイスマイル・ユサントだ。彼の言葉を頼りにＨＴＩのあり方を探ってみよう。

　前出のＦＰＩと比べてＨＴＩのメンバーは概して高い教育を受けている。アラビア語はもちろんのこと、英語も流暢に話す。イスマイル・ユサントもインドネシアを代表する国立ガジャマダ大学で地質工学を修めたエリートだ。いわゆる理系的な明瞭さがＨＴＩの特徴といえるかもしれない。インドネシア的な曖昧さを感じさせない、組織としての効率性を見ることができる。

　ＨＴＩが最も憂慮するインドネシアの問題は世俗主義だとイスマイル・ユサントはいう。つまり、非イスラーム的な生活を送るムスリムが多すぎるということ。例えば、ただ単に英語を使う人が多くなったというような表面的なことではなく、もっと本質的な部分でイスラームへの理解が低いというのがＨＴＩの基本的な見解である。これは婚前の男女交際や西洋の退廃的文化を受容しすぎたために起きた現象であるという。

†社会の退廃とカリフの必要性

イスマイル・ユサントが強調するのがムスリムとしての自律の重要性だ。ムスリムとして正しく考え行動していくことに、多くのインドネシアのムスリムは注意を払っていないという。その一例にイスマイル・ユサントがあげるのが、若い女性が露出度の高い服を着て体をくねらせながら歌うダンドゥトと呼ばれる庶民の音楽だ。イスラームには、女性が肌を出すことを戒める教えがある。

世俗化に伴う退廃は、文化的な面だけではなく政治の世界にも広がり、汚職や権力闘争に代表される現代政治の諸悪の根源は、政教分離の原則にあるという。イスラームにおいては政治と宗教は切り離されるべきものではなく、むしろ政治はイスラームというメカニズムそのものに組み込まれていると考えられる。そこで必要となるのが、カリフ制だ。ＨＴＩの大きな目標はこのカリフ制によって、イスラーム世界を統一することなのだ。カリフの不在こそがインドネシアにおける政治のみならず社会の諸問題の根源だとイスマイル・ユサントは説明する。

イスラームの経典コーランには、様々なハラム（禁止）の例が示されている。先に述べたように、酒を飲むことやギャンブルは禁止されているが、興味深いのはその利益も認めているということだ。イスラームの教えは、相対的な価値判断を大切にしている。ある事柄について、明確な解釈ができない場合はどうするか。先述したように、イジュティハード、イジマ（神学者の合意）、シューラ（協議）という考え方がある。これらを正しく機能させ、コーランやハディースをもとに人間が判断を下すことが許されている。

しかし、このイスラームの判断は誰もができるものではない。イスラームの教義を正しく理解した者が指導力を発揮して、ムスリムたちに正しい道を示す。カリフは、ウラマをまとめ、人々に正しいイスラームの教えを伝えていく。それと同時に必要なことは、シャリーアを社会に導入すること。カリフ制とシャリーアの施行を実現させてこそ、イスマイル・ユサントが「デカダンス」（退廃）と呼ぶ社会状況が改善されるという。

預言者ムハンマドの死後、四人の正統派カリフ（アブ・バクル、ウマル一世、ウスマーン、アリー）がイスラーム・コミュニティーを指導した。その後も、いくつかのイスラーム帝国でカリフが存在した。しかし、一九二四年にトルコ革命を受けて、オスマン帝国のカリフ制が廃止されると、イスラーム世界にはカリフが存在しなくなった。HTIは、それ以来イスラーム世界が混乱し正しく教義が実践されていないとして、カリフ制の復活が必要だと訴えているのだ。

†カリフの独裁化?

ＨＴＩは、国民によって選ばれたカリフが、シャリーアに基づいて国を治めることを理想としているが、そのカリフがイスラーム本来の教えから逸脱することも大いに考えられる。独裁主義に走り、汚職などに関わる可能性もある。しかし、そういったカリフの独走を許さないのがイスラームの教えであり、システムであるという。そのうち重要なのは、まず教育だとイスマイル・ユサントは考えている。国民が正しいイスラームの知識と理解をもつことがカリフ制の正しい実施につながる。そのためには、イスラームの教義を正確に伝える教育体制を確立することが重要だという。

加えて、カリフの選挙で投票する国民にいかなる圧力もかけないこと、カリフを裁くことのできる特別法廷を設置することなどが独裁化を防ぐ大きな要素になる。そして、カリフが特別法廷の決定に従わない場合、武力によって退位させる権利を国民に保障することも必要だという。

そしてムスリムにはカリフが独裁化した際には、彼を正す義務があるという。イスマイル・ユサントは、次のコーランの教えを示して説明している。

信ずる人々よ、神にふさわしい畏敬(いけい)の念をもって畏れかしこめ。帰依者としてでなければ死んではならぬ。（第三章一〇二節）

人々を善に誘い、正しいことを勧め、醜悪なことを禁ずるよう、おまえたち一団になって努めよ。これらの者こそ栄えるのである。（第三章一〇四節）

イスマイル・ユサントによれば、指導者と法律、教育の三要素がウマットの発展に大きく影響するのであって、それらを正しく社会に機能させることがムスリムとしての責任である。個人のレベルにおいても彼は、「良いムスリム」であること、つまり教えに忠実であることを実践している。

✝有言実行の態度

筆者がインドネシアのイスラーム思想に関する本を編集したときのこと、HTIの実質的リーダーとして多忙を極めていたイスマイル・ユサントに原稿を依頼した。正直なところ、締切日に原稿を受け取ることができるとは思っていなかった。

ところが、イスマイル・ユサントは期日に遅れることなく原稿を完成させた。その際に、彼は「良いムスリムは嘘をつかない」といった。インドネシアでは、イスラームの神の定め（カダール）の考えに基づき、インシャ・アッラー（アッラーの御心のままに）という言葉を約束不履行の大義名分にすることもあるが、イスマイル・ユサントは、誠心誠意約束を履行する努力こそが重要であると考えている。実際、コーランには約束を守ることを奨励する教えがある。

さらにまた、預かり物や約束を守る者、礼拝を遵守する者、こういう人々こそ、まことの相続人であって、パラダイスを相続し、そこに永遠にとどまる。

（第二三章八〜一一節）

教条主義者とは、つまり「イスラームの根本の思想に忠実な者」という意味だ。ムスリムのなかには、高価なムスリム装束を身にまとうだけで満足している者もいるかもしれない。形だけの行いをして、いつも誰かとの約束を守っていない者もいるかもしれない。しかし、本当の正しいムスリムとは、自らの行為と言動に矛盾が生じないように努力を続ける人のことをいうのだろう。約束したことを守る、という基本をないがしろにしないことは、極めてイスラーム的態度だということができる。

先に述べたように、カリフ制の復活を目標に活動していたHTIは、二〇一七年七月にインドネシア政府からその活動を禁止された。多宗教・多文化国家として共和制を選択したインドネシアとカリフ制は相いれないというのがその理由だ。

後述するが二〇一六年当時ジャカルタ特別州知事を務めていたキリスト教徒であるバスキ・チャハヤ・プルナマ（通称アホック）が、選挙活動中にコーランを侮辱したとして全国的に反発と批判が一気に高まったことがあった。活動禁止の政府決定は、その反アホック運動において主導的な役割を果たしたHTIに対する報復措置だとイスマイル・ユサントは反発するが、共和国としての統一を至上命題とするインドネシア政府にとって、HTIは常に脅威だったことは間違いない。

†イスラームと女性

西側諸国には、イスラームは男尊女卑の宗教であるという認識が強く残っている。一夫多妻制などがイスラームに対する批判の根拠となることも多い。本来イスラームは女性をどのように位置づけているのか、女性は尊厳をもって扱われないのか、ムスリム・フェミニストはどのような見解をもっているのだろうか。

スハルト後のレフォルマシ（改革）以降、ムスリム女性の立場から活発に発言したのは、リリー・ムニールだ。二〇〇一年の九・一一同時多発テロの後「プサントレン・民主主義研究センター」という非政府組織を立ち上げて、イスラームのもつ民主的側面をプサントレン（イスラーム寄宿舎学校）のムスリムリーダーたちに啓蒙する活動を始めた。リリー・ムニールはインドネシア国内外において、イスラームにおける女性のあり方についての革新的見解を講演や会議で発表していた。しかし、二〇一一年に惜しまれつつもこの世を去ってしまう。

アラビア語の「イスラーム」という言葉は、「安全」や「平和」を表す言葉から派生しているが、リリー・ムニールは、イスラームが男女にかかわらず人間そのものを重視する宗教であると考えていた。ムスリムの「あなたに平和が訪れますように」（アッサラーム・アライクム）という挨拶がイスラームの本質を如実に表しているという。しかしながら、女性を常にコントロールしようとしているとして、いわゆる教条主義者たちに対しては批判的だった。

イスラームは、「宇宙に祝福をもたらす宗教」であり、それを達成するにはダイナミズムに満ちた進歩的な態度をもって教義を解釈していかなければならない、というのがリリー・ムニールの考えの根本にある。それは、ウリル・アブシャー・アブダラの思想と重なるし、イジュティハードを奨励することでも共通している。

†男尊女卑の宗教？

イスラームにおいて、男性の女性に対する優越性を正当化する者は、コーランの次の一節を根拠とすることが多い。

……男たちのほうが女たちより一段上ではあるが、女たちは自分がしなければならないのと同じだけ、自分もよくしてもらうべきである。神は限りない権能をもち、聡明であらせられる。（第二章二二八節）

しかし、リリー・ムニールはこういったコーランの教えの背景や理由（アスバブ・ヌズル）を考慮に入れることの重要性を強調している。つまりこの場合、イスラーム以前のアラビアの社会状況を理解することが重要だという。

イスラーム以前のアラビアのジャーヒリーヤ（無明時代）においては、女性の立場は極めて弱く、男性の下僕（げぼく）としての役割しか与えられていなかった。しかし、この啓示はその状況を少しでも改善するためにもたらされたものだというのだ。急激な社会変化は新たな問題も生みかねない。この啓示を文字通り受け取るのではなく、コーランそのものが教える、男女の別なく人間の尊厳を尊重することの大切さを理解しなければならないとリリー・ムニールは訴える。

コーランを読むと、イスラームが決して女性を軽んじているのではないということが理解できるという。ジャーヒリーヤの時代には、女性はときに男性のもち物として扱われ、人間性を否定され続けてきた。部族間の争いが絶えなかったその頃、女性が兵士として役に立たないということで、不必要な存在とされたこともあった。実際、生まれたばかりの女児を生き埋めにして殺すという習慣さえあった。その非人間的な行いを禁じたのがコーランの啓示だった。

彼らのうちだれかが女児出生の報に接すると、悲憤に満ちて、その顔色は黒くかげる。受けとった悪い知らせに、仲間から身を隠してしまう。恥を忍んでこのまま生かしておくか、それとも土の中に葬るか。ああ、彼らはなんと悪い判断をするのか。

（第一六章五八～五九節）

生き埋めにされた女児たちが尋ねられる時、どんな罪で殺されたかと。

（第八一章八～九節）

イスラームは当時の社会において、虐げられていた女性を救済しその人間性を回復させる役割をもっていた。リリー・ムニールによると、コーランには男女平等の考えや様々な生活の場における女性の権利を認める三〇以上の啓示があるという。

信者は男も女も相身互いで、善行を勧め、悪事を禁じ、礼拝を守り、喜捨を行ない、神とその使徒に服従する。こういう人たちには、神はみ恵みを垂れたもうであろう。神は威力あり、聡明なお方。神は、男の信者にも女の信者にも、下を河川が流れ、そこに永遠にとどまるべき楽園と、エデンの園の中のよき住まいとを約束したもうたのである。

（第九章七一〜七二節）

すると、主は彼らにお答えになった、「おまえたちおたがい同士であるからには、男であれ女であれ、いかなる者の働きも、わしが無にすることはない。移住し、家を追いだされ、わしの道のために痛手をこうむり、戦って殺された人々、このような人々がどんな悪事をはたらいたとしても、これを赦免し、下を河川が流れる楽園に入れてやる」。これが神よりの報酬。まことに神のみもとにはよき報酬がある。

（第三章一九五節）

ムスリムは、性別によってではなく信者として教えをどれほどしっかりと守っているのかという点において、アッラーの裁きを受ける。それを教えたのがこれらの啓示だ。アッラーと人間の関係において、女性は決して劣悪な者として扱われてはおらず、男女の区別はあるが、差別はないというのがリリー・ムニールの主張だ。

イスラームにおける女性抑圧の象徴として言及されることが多いジルバブまたはヒジャーブ（頭部を覆うスカーフ）も、実際は女性を差別しているわけではなく、それまで社会的な弱者であった女性を保護する役割があった。コーランには「女性の体の隠すべき部分を覆え」という啓示がある。これは、女性の社会活動を妨げることを目的としているのではなく、男性の性的な対象とならないように自らを守ることの重要性を教えており、ジャーヒリーヤの非文明の時代の終焉と共にイスラームという文明の時代の幕開けを告げた啓示であるともいえるだろう。

イスラームにおいて女性が劣った者として扱われ、社会的な差別の対象になることは、これまで述べてきた「イスラーム社会」の本質ではなく、社会状況に影響を受けイスラームの教えが展開する「ムスリム社会」における現象であることがわかってくる。

そこには、女性を自らの「しもべ」として扱いたい男性の強い思惑をうかがうことができる。これは、中東のジャーヒリーヤの時代、植民地時代の東南アジア、また封建時代の日本などにも共通することだ。よって、イスラームの教えの本質が男尊女卑であると断定することは極めて不適切だということがわかるだろう。

†一夫多妻制の現実

イスラームが女性蔑視であるという批判を生んだ原因の一つに一夫多妻制がある。しかし、実際インドネシアで二人以上の妻をもつムスリムに出会うことは極めて稀だ。リリー・ムニールは一夫多妻制も、やはり当時の社会状況の産物であると考えている。ジャーヒリーヤの時代には、女性は男性の所持品として扱われていた。男性は、妻を何人でも好きなだけ所有することができたし、妻に対して差別的な扱いをすることも多かった。しかし、一夫多妻制はこういった状況を改善するための方法だったという。長年続いてきたアラビア社会の慣習を完全に瞬時にして断ち切ることは不可能だった。よって、イスラームは漸進的な改革を目指した、というのがリリー・ムニールの解釈だ。同時にコーランの啓示には一夫多妻制については厳しく制限が課せられている。

もしおまえたちが孤児を公正にあつかいかねることを心配するなら、気に入った女を二人なり三人なり、あるいは四人なり娶れ。もし妻を公平にあつかいかねることを心配するなら、一人だけを、あるいは自分の右手が所有するものを娶っておけ。いずれにも偏しないためには、これがもっともふさわしい。

（第四章三節）

註：「右手が所有するもの」＝女奴隷

妻は四人まで、そしてその四人を公平に扱えなければ一人がふさわしいと教えている。すべての妻に対して同じように接するのは大変難しい。つまり、このコーランの一節は、一夫多妻制の実施は不可能であると暗示しているというのだ。その証とされている啓示が以下の箇所である。

おまえたちがいかに切望しても、女たちを公平にあつかうことはできない。しかし、偏愛にかたむいたあげく、妻の一人を宙ぶらりんのままほうっておいてはならない。

（第四章一二九節）

コーランに隠されたメッセージを読み取ることが、イスラームの将来をより良きものにするというリリー・ムニールの考えは「ムスリム社会」をよりダイナミックに展開させるという意図に基づいている。しかしイスラームの今後を考えたとき思い出さなければならないのが、「明るい未来」を創造する「解釈」も可能であるし、「暗い未来」をつくり出す

「解釈」も可能であるということだ。男尊女卑の世界、そして究極的には無差別殺人ともいえるテロの正当化などはまさに後者にあたるだろう。

一夫多妻制に関して、もう一点忘れてはならない社会状況がある。六二五年（イスラーム暦三年）に起きたウフドの戦いにおいて、多くのムスリム男性が犠牲となり、未亡人と孤児たちが急増した。この悲運の女性と子どもを救済するための手段として一夫多妻制が必要だったともいえるのだ。

妻をとりあえず四人まで認めるというのは、特定の社会状況下において女性を保護することを目的としているのであって、時がすぎて取り巻く環境が変わったのならば、それは徐々になくなっていくというのがリリー・ムニールの考えである。つまり、現代社会ではもはや一夫多妻制は必要ないということになる。

リリー・ムニールは、イスラームがもたらされた当時のアラビアの社会状況を無視して、コーランを理解することの限界を指摘している。差別や迫害から女性を解放しようとしたのがコーランの啓示であるという解釈は、イスラームを女性差別の宗教と考えていた人々にとっては驚きであるに違いない。

宗教が時代や地域によって変革を遂げていく有機体であるという考え方は、信者たちの現実的な対応を生むことにつながる。書かれたものを絶対的な価値として、ほかの要素を排除して考える者にとっては受け入れがたいだろう。しかし、歴史を見てもこういった宗教の有機体としての発展は否定できない事実だ。換言すれば、時代が宗教にそのことを要求しているのかもしれない。

†教条主義者アブ・バカール・バアーシル

スハルト政権崩壊の後、レフォルマシ（改革）時代に入り、最も注目を浴びたムスリム指導者の一人がアブ・バカール・バアーシルだろう。アブドゥルラフマン・ワヒド（グス・ドゥル）が穏健で自由主義的なイスラームの代表であるなら、アブ・バカール・バアーシルはその対極にある強硬派グループの中心的存在である。

改革時代に最も注目を浴びたムスリム指導者アブ・バカール・バアーシル

アブ・バカール・バアーシルは、一九三八年に東ジャワでイエメンからの移民であった父と同じく、イエメンの移民の家系でジャワ生まれの母との間に生まれた。父はバティックを扱う商人だった。両親とも敬虔なムスリムであったが、特に宗教的に特別な家庭であったわけではなかったと本人が筆者に語っている。

自らもプサントレン（イスラーム寄宿舎学校）で教育を受けた後、一九七二年にアル・ムクミンという名のプサントレンを中部ジャワのソロに設立する。当時から、シャリーアの施行、イスラーム国家の建設を主張し、国家転覆罪などに問われ一九七八年から一九八二年まで投獄された。その後、マレーシアに逃れ亡命生活を送っていた。そして、スハルトの退陣後インドネシアに帰国し、シャリーアの完全導入を目指した団体、マジュリス・ムジャヒディン・インドネシア（MMI）を設立し、活発な活動を開始した。

それまでの経歴から、世界的なテロ組織であるアルカイダとのつながりを指摘され、東南アジアのテロ組織であるジャマー・イスラミヤの精神的指導者の一人といわれている。実際、二〇〇二年に観光地であるバリで起きた爆破事件に関与したとして二〇〇四年に拘束されたが、直接的なつながりはなかったとして釈放された。しかし、二〇一〇年にはアチェにおけるテロリスト訓練に資金援助をしたとして逮捕され、翌年懲役一五年の判決が下された。その後刑期が短縮されたこともあり、二〇二一年一月に自由の身となった。

二〇〇八年には、MMIの指導体制に対する見解の相違から、それまで共に活動をしてきたアブ・ジブリルらと袂を分かち、新団体ジャマー・アンシャルット・タウヒッド（JAT）を設立した。その背景には、集団指導体制によりMMIを運営しようとするグループとアブ・バカール・バアーシルを最高指導者とするグループの対立があったといわれている。

JATには、息子でアル・ムクミンの教師を務めるアブドゥル・ロヒムやMMIのジャカルタ支部長を務めたハリス・アミール・ファラらが加わった。アブ・バカール・バアーシルは西側諸国のメディアのみならず国内メディアでも必ずといっていいほど「テロリスト、アブ・バカール・バアーシル」と紹介される。それほど危険な人物であるという認識が定着している。しかしながら、ここではメディアを通した情報ではなく、筆者が行った聞き取りをもとにアブ・バカール・バアーシルの宗教思想の本質を、その人物像と共に明らかにしていきたい。

†教条主義者の実像

インドネシア人のなかにも、アブ・バカール・バアーシルはイスラーム以外の宗教に対し敵対心をもち、暴力主義によって異教徒の迫害を煽る人物であると信じている者が多くいる。しかし、アブ・バカール・バアーシルは問答無用に異教徒を排斥する思想をもっているわけではない。

彼はイスラームはどの宗教よりも優れているという認識をもっており、すべての異教徒は来世において地獄に行くと考えている。その意味では、アブ・バカール・バアーシルにとって異教徒は憎しみの対象であるより以前に憐れむべき存在でもある。「イスラームにおいては、すべての人間の本性はムスリムであると考えられている」コーランを示しながら、「これをフィトラ（フィトロ）という」と筆者に語った。

純正な人として汝（なんじ）の顔を宗教にむけよ、神が人間をお造りになった本性に従って。神の創造に変更のあろうはずがない。

（第三〇章三〇節）

しかしながら、後天的な環境によって本来ムスリムである人間が異教を信じるようになってしまう。それがゆえ、すべての異教徒が正しい道であるイスラームに戻るように手を貸さなければならないというのがアブ・バカール・バアーシルの考えだ。「ただ、その方法は、決して強制によるものであってはならない」と、改宗を無理強いすることを否定するコーランの第二章二五六節に言及しながら、彼は筆者に語った。あくまで、個人の選択を尊重するのがイスラームの教えであるというのだ。

アブ・バカール・バアーシルはこれらを実践することが正しいムスリムの道であると考えているのだ。そのためには、異教徒である筆者に会うことも決して厭わない。「異教徒を見たら殴り倒せ」というアブ・バカール・バアーシルの言葉を報じていた新聞記事を見せた筆者に対して、「それが本当なら、なぜ異教徒である君を自宅に招き入れ、イスラームについての質問にこうして答えている？　私が君を殴り倒したか？」という彼の言葉が印象的であった。

「イスラームの正しい道」というのはつまりシャリーアに従って生きることを意味する。それがムスリムであるという。イスラームの教義は「永遠不滅の完璧なシステム」だと考えているのだ。「原理主義」という言葉は、アブ・バカール・バアーシルにとっては何の意味もない。イスラームはイスラームであって、「自由主義的」「原理主義的」「教条主義的」イスラームなど存在しない。あるのはイスラームのみ。ただひたすら教義の示されたコーランとスンナに忠実であるということがイスラームの本質であるのだ。彼は神秘主義者やシーア派をムスリムとして認めることはない。スンニー派のムスリムのみが正当なイスラーム信者であるという。

†頑固一徹

一切の妥協を許さないその思想と態度が、アブ・バカール・バアーシルに対する排他的、狂信的イスラームの信奉者という評価を生み出す要因になったのだろう。

ムハンマドの時代のアラビア社会で行われていたシャリーアの刑罰を現代社会において実施することは、アブ・バカール・バアーシルにとっては当然のことだ。時代や場所が変わってもイスラームは変わらない、というのが彼の基本姿勢だからである。その意味では、これまで述べてきた「イスラーム社会」の具現化こそが理想であり、アブ・バカール・バアーシルはそのために日々の活動に勤しんでいるということができる。

彼のこうしたあり方は、日本でいうところの「頑固おやじ」と相通じるのではないか。娘には厳しく門限を設け、日本の伝統的な価値、例えば年上を敬うこと、女性は控えめにしていなければならないことなどを自分の子どもたちに教えようとしている父親像とイスラームの教条主義者は大いに重なる。頑固おやじは決して妥協することはない。しかし、頑固おやじは自分の家族のことを考えている優しい心をもっている。

アブ・バカール・バアーシルもまた、他者に対する敬意と思慮をもっている人間だと感じることがあった。例えば、客人である筆者のためにお茶を準備するように家族に話しかけるその態度や、秘書が三〇分と時間を区切って面会時間を設定しているにもかかわらず、イスラームについて知りたいと思う筆者に対して、丁寧な説明に何時間も割いたことなど。他者を思いやる心が欠けているかどうかということは、メディアを通しては決して知ることができない。

†ムスリムと異教徒の共存

アブ・バカール・バアーシルのような「イスラーム社会」の実現を大きな目標に掲げるムスリムたちは、異教徒を強制的に改宗させることを目指しているのではない。では、異教徒とムスリムは共存することは可能なのか。既に述べたように、イスラームに改宗するか否かは個人の選択に任される。しかし、異教にとどまる決断をした者は、迫害されるのか。

イスラームには、来世の考え方がある。現世の後に、地獄に行くか天国に行くかは、現世での行いによって決められる。ムスリムは自らの背後に天使がいて一生の行動を記録していると信じている。しかし、異教徒は地獄に行くことしかできない。そこには、ムスリムと異教徒の絶対的な違いがある。しかし、現世においては、両者が平和的に共存することは充分に可能である、とするのがイスラームの考え方なのだ。

イスラームが支配的な地域（ダール・アル・イスラーム）に異教徒が居住することは問題ない。イスラームに改宗しないことを選択した場合には、その地域における敵対しない不信仰者（カーフィル・ズィンミー）として人頭税（ジズヤ）を納めることで、共生居住が可能だ。そして、異教徒がムスリムの宗教行為を妨害しない限り、異教の民はそれぞれの宗教を自由に信仰することが許される。これが、ムハンマドの時代から存在するイスラームの根本理念である。アブ・バカール・バアーシル自身も、例えば仏教徒の日本人と同じ土地で暮らすことは何の問題もないと考えている。

このように、イスラームは本来排他的な宗教ではない。しかし「ムスリム社会」では、様々な社会状況のなかで暮らす個人の宗教解釈が自由になされる。その場合に、制限なき暴力の行使が許されると考える者が出現する。西側メディアは特にこのことを強調して報道する。それがあたかもイスラームの本質であるかのように伝えることが少なくない。このことが、イスラームに対する負のイメージを増幅させる大きな要因の一つであることに間違いないだろう。

†ジハードの思想

日本人や西洋人にとって、イスラームが自分たちの社会になじまないと感じる理由の一つにジハード（聖戦）の教えがあるのではないか。ジハードと聞いて、ムスリムが剣をもちイスラームに改宗しない異教徒たちを殺していく、または、爆弾を使って破壊行為をするという光景を想像する者も少なくないだろう。しかし、ジハードとはそういった単なる暴力の行使なのだろうか。実際に「イスラーム社会」を構築しようとするアブ・バカール・バアーシルはどのような考えをもっているのだろうか。
ジハードというのは、インドネシア語でいうトロン・ムノロンの考えを具体化したムスリムの務めだとアブ・バカール・バアーシルはいう。つまり「信者同士が助け合うこと」だ。それには二つある。まず、ムスリムとしてより正しく考え、より正しく行動するということ。そしてもう一つは、もっと身体的な努力だ。この二番目の実行の際に武器を取ることがある。

アブ・バカール・バアーシルはこういった物理的な戦いもイスラームの教えとしているが、その際には実質的に戦闘状態にあることや神聖なモスクなどの周りで戦わないこと、女性や子どもを巻き込まないことなど様々な制限があることも自覚している。先に述べたように、前者は、大きなジハード（ジハード・アル・アクバル）、後者は小さなジハード（ジハード・アル・アスガール）と呼ばれることがある。

メディナに聖遷（せいせん）したムハンマドのイスラーム軍が、人員数で圧倒的な優位に立っていたメッカ軍を打ち破った六二四年のバドルの戦いの際に、ムハンマドはジハード・アル・アクバルの重要性を説いたといわれている。アッラーとの契約の遂行を人生における最優先課題とするムスリムたちが、五行をはじめとした義務を果たしていく過程そのものがジハードの神髄だとするのが「イスラーム社会」の真理ということができる。

†多面的なジハード

その一方で、身体的な危険や迫害にさらされたときには、ムスリム同士が助け合わなければならない。それが、ジハード・アル・アスガールだ。コーランの教えには、武器を取っていいのはあくまで相手から攻められたときで、先制攻撃をしてはならないとある。また、敵の攻撃が中止されればムスリム側も戦いをやめなければならず、相手に対する赦し(ゆるし)の重要さも強調されている。この防衛的なジハードをジハード・ディファイという。アブ・バカール・バアーシルもこの防衛的な戦いと無差別なテロ行為を区別する必要があると考えている。コーランには以下のような啓示がある。

神の道のために、おまえたちに敵する者と戦え。しかし、度を越して挑(いど)んではならない。神は度を越す者を愛したまわない。おまえたちの出あったところで彼らを殺せ。おまえたちが追放されたところから彼らを追放せよ。迫害は殺害より悪い。しかし、彼らがおまえたちに戦いをしかけないかぎり、聖なる礼拝堂のあたりで戦ってはならない。もし彼らが戦いをしかけるならば、彼らを殺せ。不信者の報いはこうなるのだ。しかし、彼らがやめたならば、神は寛容にして慈悲ぶかいお方である。(第二章一九〇〜一九二節)

……もし彼らがおまえたちと戦うことなく退いて、和平を申しでてくるならば、神はおまえたちに彼らを制する道を与えたもうことはない。

（第四章九〇節）

それに対して、ジハード・フジュミといわれる攻撃的ジハードの理念もイスラームの教義には存在する。これはイスラームがその勢力を広げようとする初期における異教徒との戦いであったが、「コーランか剣か」といった暴力による改宗の強要でもなければ、無差別殺人でもない。

前述のように、異教徒にはイスラームを受け入れるか、ジズヤを払うかという選択肢が与えられる。しかし、ジハード・フジュミによってイスラームを拡大するということが国家という枠組みで世界が区分けされている現代社会においては、多くの「イスラーム社会」を目指すムスリムたちでさえ、その実行が困難であると考えている。

では、アメリカで起きた九・一一同時多発テロやインドネシアで起きたいくつかの爆弾事件についてアブ・バカール・バアーシルはどう考えるのだろうか。戦闘状態にない場での武器の使用はジハードの範疇に入れることはできないというのが彼の基本的な考え方だ。九・一一同時多発テロはアメリカと戦闘状態にあったと考えれば、ジハードと認めることは可能だが、インドネシアなどで起きたテロはジハードには当たらないとアブ・バカール・バアーシルは考えている。

そして、イスラームの同胞主義によるテロの実行犯に対しては、無知がゆえの行為であるとして一定の理解を示しているが、正しいイスラームの教えを同胞に伝えることを優先課題としている。また、アブ・バカール・バアーシルをはじめとした「イスラーム社会」の構築を目指す者たちは、国際政治におけるアメリカ合衆国の政策に反対しており、自らを追い詰めたのはアメリカであるという意識を強くもっている。この被害者としての意識が大変強いというのも彼らの特徴だろう。そして、それがアメリカへの批判につながっていく。

第6章でも説明するが、一九七九年のイラン革命後の一九八〇年代のイラン・イラク戦争において、サダム・フセインを背後から援助していたアメリカが、冷戦が終結すると湾岸戦争を機に、イスラーム勢力との対立を深めるようになったこと。また、一九八〇年代にアフガニスタンに侵攻したソ連に対するムスリムたちに武器を取り「聖戦」を呼び掛けていたアメリカが、冷戦終結とともに、イスラームをアメリカ的価値観と反する悪の勢力とみなすようになったこと。こういったアメリカの政治的日和見(ひよりみ)主義が多くのムスリムにとっては「偽善的」と映ったのだろう。

†憲法第九条とイスラーム

これまで見てきたように、アブ・バカール・バアーシルの考えるジハードは、武器を取ることを全面的に否定しないこと、そしてあくまで自らが攻撃を受けたときの自衛的手段としての武力行使の容認であることがわかる。現代の国際社会では、このように武力による紛争の解決を目指すことは決して珍しいことではない。

アメリカもヨーロッパの多くの国も、国として自らの価値や「国際社会での秩序の維持」という錦（にしき）の御旗（みはた）の下、武力を行使して他国を攻撃する。一九九一年の湾岸戦争をはじめ、その後のイラク、アフガニスタンへの攻撃も、彼ら自身は「悪」を滅ぼすとしてその正当性を主張している。

安全保障理事会の常任理事国の政治的思惑により、国連がその機能を充分発揮できない状況では、このような国際社会におけるアメリカやヨーロッパの武力行使はいわば世界の常識になってしまっている。西側諸国が、イスラームのジハードを非難することは容易だ。しかし、その西側諸国もまた、同じように武力を肯定している事実を認識する必要があるだろう。

その一方で日本は、自衛隊という実質上の軍隊は存在するものの、憲法第九条により戦力を所有することを禁じられ、紛争解決の手段としての武力の行使を放棄している。これは、絶対平和主義の考えに基づいている。ジハードの思想をもつアブ・バカール・バアーシルにとっては、その日本の憲法第九条は容易に肯定できるものではない。

イスラームのジハードの教えは、これまで述べたように自己防衛の考えがその基本にある。そして、同じことを西側諸国も国際社会において行っている。共通するのは、やはり暴力行使の是認なのだ。果たして平和を武力によって実現し、維持できるのか。そこには大きな矛盾がある。

加えて、これほど科学技術が発展した現代社会で、武力の行使は人類にどのような結果をもたらすのか。核兵器や化学兵器には人類が住むこの地球を滅ぼしてしまうほどの破壊力がある。専守防衛のためであっても、これらの武器を使用したらどうなるのか。その意味で、ムスリムたちがジハードを精神的な努力と捉え、武器を取らない、という姿勢を貫けないものだろうか。

仮に、敬虔なムスリムが、武器を取らず話し合いで解決しようと国連で演説をすることがあったら、多くの憲法第九条的思想をもつ国や人々がイスラームを支持するのではないか、と筆者は直接アブ・バカール・バアーシルに聞いたことがあった。

しかし、その提案は即座に退けられた。なぜなら、アブ・バカール・バアーシルは教典に基づく「イスラーム社会」の構築を目指しているのであって、ムハンマドにより伝えられた神の言葉であるコーランに示されたジハードの思想は、時代が変わったとしても決して変化するものではないと考えているからだ。他国への武力攻撃を厭わない多くの西側諸国の指導者たちが、それを暴力的だ、と非難する資格をもち合わせているかどうかは、はなはだ疑問であるといわざるを得ない。

✝開拓者としてのグス・ドゥル

アブドゥルラフマン・ワヒド（グス・ドゥル）は、インドネシア最大のイスラーム団体であるナフダトゥル・ウラマ（NU）の議長を一九八四年から一九九九年まで務め、宗教界や政治界に大きな影響力を誇った。独裁的といわれたスハルト大統領への批判も臆せず口にできる数少ない人物の一人だった。また彼の活動は、インドネシアにおけるイスラームを中東のそれとは異なった形で展開させていこうとする壮大なる試みでもあった。その姿勢は、アブ・バカール・バアーシルの「イスラーム社会」的な姿勢と対極にある「ムスリム社会」的であったといっていいだろう。

グス・ドゥルは、シャリーアを国法にしたイスラーム国家を明確に退け、世俗主義国家体制を断固支持した。それは、NUが宗教的に依る四大法学派の一つであるシャーフィイー派が、イスラーム国家、反イスラーム国家、平和国家の三つがあり、最初のイスラーム国家が叶わない場合には、平和国家を受け入れることが可能であるという立場を取っているからだと説明する学者もいる（Kato2002）。

グス・ドゥルは、イスラームはあくまでも個人の信仰であって、シャリーアを国法とし国家がムスリムを罰することを認めない。同時に、イスラーム以外の宗教も等しく尊重されるべきであって、インドネシアにおいてはすべての宗教が制度的優位性をもたずに共存すべきだと考えた。ゆえに、スハルトがパンチャシラを宗教団体の理念と定めたときには、NUは率先してそれを受け入れた。その後も、グス・ドゥルはパンチャシラをインドネシアの根本理念として尊重し、世俗主義体制の維持のために努力を重ねた。また、一九九四年にはイスラエルを訪問し、ユダヤ教との和解への努力をした。

シャリーアの扱いやユダヤ教に対する姿勢を含めて、グス・ドゥルの行動は極めて革新的で、厳格なスンナの履行を求めるムスリムには、あまりにもイスラームの根本教義から逸脱していると映った。しかし、グス・ドゥルは「インドネシアにはインドネシアのイスラームがあるべきだ」として、中東で生まれたイスラームの原理性に縛られる必要はないという考えを変えることはなかった。こういった土着文化に寛容で、インドネシアの宗教的多様性を尊重するグス・ドゥルは、ムスリムでない異教徒にとって、インドネシアの宗教的良心であり、〝守り神〟的存在であった。

†共産主義者の友だち

グス・ドゥルは思想や政治に関しても自由な態度を貫いた。インドネシアで禁止されている共産主義に対しても、その寛容性を示すエピソードがある。グス・ドゥルが二〇〇三年に日本を訪れ講演を行ったときのことだ。最後の質疑応答で、一人の女性が挙手をして質問をした。

共産党に所属する市議会議員だという。無神論で、しかもインドネシアで禁止されている共産主義が、絶対的唯一神論のイスラームと相いれるはずがない。「共産主義についてどう思うか」という彼女の質問に、同席していたインドネシアの外務省職員も慌てた様子だった。

それに対してグス・ドゥルが発した最初の言葉はこうだ。「私の親友は共産主義者です」。聴衆はその言葉に驚き、会場は少しざわついた。それを意に介することもなく「ですが、私は共産主義者ではありません。ただ、私の友人が共産主義者であることを否定しようとは思わないのです。だからあなたと私も友だちになれると思います」と続けた。

グス・ドゥルは一年半の大統領在任期間で多くの改革を成し遂げた。それまで禁止されていた華僑文化をすべて解禁した。現在、インドネシアでは問題なく漢字を使うことができるし、旧正月には獅子舞が町を練り歩くことは普通の光景になった。一九六五年から六六年にかけて起きたインドネシア共産党員の虐殺について初めて公式に謝罪した。

また彼は多くの政治犯を釈放した。共産主義的思想をもっているとして拘束されていた若き活動家のブディマン・スジャトミコもその一人だった。そのブディマンがグス・ドゥル政権の経済政策に反対して大統領宮殿でデモを行ったとき、グス・ドゥルは彼らを宮殿に招き入れ、その主張を直に聞いたという。

このように個人の思想や信仰の自由の尊重は、グス・ドゥルにとって決して放棄することのできない基本理念だった。また、大統領在任中、金曜礼拝のときには宮殿内にあるモスクを一般市民に開放し、時間が許せば自分も参加し、人々との対話をもった。

自由主義者グス・ドゥルと独裁者スハルトは対立することもあった。ＩＣＭＩ設立後には、スハルトに書簡を送り、インドネシアが宗教的な寛容性を欠く社会になれば無政府状態になると警告した。また、スハルトを「愚か者」と呼んだグス・ドゥルの発言が、一九九四年に出版されたアダム・シュワーツの著書 *A Nation in Waiting* に引用され大問題となった。これが原因でグス・ドゥルは公の場での発言を禁止され、スハルトとも二年間にわたり面会することができなかった。

†現実主義のグス・ドゥル

しかし、この両者の関係が常に対立に終始していたわけではない。前述のようにグス・ドゥルは、自らの祖父が設立したインドネシア最大のイスラーム団体であるNUを守る責任を負っていた。スハルトとの全面対立という事態を招けば、NUは存亡の危機に陥る。また、財政的にも、一九九〇年代の半ばには、NUはその収入の六割をスハルト政府の補助金に頼っていたといわれている。一九九六年には次回の大統領選挙においても、スハルトを全面的に支持するとも発言している。

スハルト政権との全面対決を避けたのは、NUを守るという現実的な理由のほかに、グス・ドゥルのもつ文化的背景も無視できない。大声で罵り合うような態度を嫌い、年長者を敬うジャワ社会で生まれ育ったグス・ドゥルにとって、その政治手法がどうであれ大統領であり年長者でもあるスハルトを極悪人として切り捨てることにためらいがあったのではないか。

グス・ドゥルは「スハルトと私は家族ぐるみの付き合いだ」と公言することを憚らなかった。スハルトが大統領辞任を発表する前日の一九九八年五月二〇日、グス・ドゥルはスハルトの長女トゥトゥットから電話を受け、そのことをあらかじめ伝えられたという。また、スハルトの晩年、南ジャカルタにあるプルタミナ病院に入院していた年老いた前大統領をグス・ドゥルは何度も見舞っている。

グス・ドゥルはスハルトの独裁政権に対して、大衆を巻き込んだ反対運動を展開することはなかった。またNUメンバーによる示威行為を戒める発言もしている。その態度は、スハルト辞任前後の全国的な反政府運動の際にも変わらなかった。アミン・ライスが民衆の先頭に立ち実際にデモに参加し、より多くの国民の反対運動への参加を訴えたのとは対照的に、グス・ドゥルは国会を取り巻くデモについて「理性と知性を失い、感情に支配された破壊的な行為」として人々の自制を呼びかけた。そんなグス・ドゥルに対しては、弱腰でスハルトに媚びているのではという批判もあった。だが、グス・ドゥルの思いはまったく別のところにあった。

グス・ドゥルの心の底にあったのは、インドネシアに「流血」の事態を引き起こしたくないという思いだった。このことが何にもまして優先されるべきで、時代が変わるには時間がかかる、性急な改革は危険だというのが持論だった。

ここで思い出されるのは、先述した一九六五年のクーデター未遂事件の後、インドネシア全土で起きたインドネシア共産党メンバーおよび関係者の虐殺事件だ。この非人道的な事件には、多くのNUメンバーが関わっていたといわれている。グス・ドゥルにとって、インドネシアの現代史において最も悲劇的で残忍なこの出来事に、寛容のイスラームを代表し、祖父が設立した愛着のあるNUが関係したことは、痛恨の極み以外のなにものでもなかったに違いない。歴史の悲劇を繰り返したくない、感情に支配された民衆が暴力的になることをグス・ドゥルは何よりも恐れたのだ。

こういったグス・ドゥルの行動を支えたのは、イスラームが平和を望む宗教であるという理解だ。これまで述べてきたように、イスラームの教義に異教徒を無差別に攻撃するという神学的根拠はどこにもない。そのことを証明するという強い意欲をグス・ドゥルはもっていたといえるだろう。

✝大統領就任

グス・ドゥルが国内のみならず国際的に大きく注目されたのは、スハルト大統領が辞任し、国会議員を選ぶ初めての総選挙が一九九九年五月に実施された頃だろう。これまで述べたように、その選挙には、スハルト体制下で翼賛的な意味しかもたなかった三政党に加え、多くの新政党が参加した。その数は四八にのぼり、グス・ドゥルが設立した民族覚醒党（PKB）は、五一議席を得て国会内で四番目の勢力となった。

第一党に躍り出たのが、スカルノ初代大統領の娘であるメガワティ・スカルノ・プトゥリが率いる闘争民主党（PDI－P）だった。スハルト独裁政権に対する不満は国民の間に根強くあり、同じくスハルト大統領による弾圧を経験していたメガワティに対する人気は非常に高かった。インドネシアで初となる女性大統領の誕生も現実味を帯びてきた。

当時、大統領は国民協議会議員の投票によって選ばれることになっていたが、一九九九年一〇月の選挙でメガワティは、グス・ドゥルに敗れてしまった。五月の選挙以後、国民協議会内で多数派工作を含めた政治的駆け引きが行われていた。イスラーム系政党の多くが女性大統領を嫌っており、メガワティが大統領に選出されることに対する危機感があった。それが、歴史や教義の解釈の度合いなどに違いを見せるイスラーム政治勢力を結集させる結果となった。

その過程で、グス・ドゥルとは他宗教に対する態度やイスラームの解釈などで際立った違いを見せていたアミン・ライスを中心に、イスラーム系の政党がメガワティ以外の男性大統領候補、つまりグス・ドゥルを推すという動きがでてきた。いわゆる「中道軸」である。

ライスは、スハルト政権末期に三二年間続いた政権に対する批判の急先鋒として改革運動の先頭に立ち、その後、自らも国民信託党（PAN）を設立した。ライスは自らが大統領になる意志を公言し、総選挙も戦ったが結果は第五位と国民協議会における影響力は極めて限られたものとなった。

ライスはPANの設立まではインドネシアでNUに次ぐ規模を誇るイスラーム団体ムハマディヤの議長を務めていた。そのムハマディヤとグス・ドゥルが率いたNUは、発足の時点からその宗教的色彩を異にしている。その意味で「伝統派」のグス・ドゥルが「近代派」のアミン・ライスの協力を得て大統領に選ばれたことは、両派の政治的妥協であったといえる。

†グス・ドゥルと新しいイスラーム

インドネシアはシャリーアを国法とせず、共和国として世俗法を採用している。インドネシアでは、シャリーアの施行を求める運動も盛んだが、グス・ドゥルは、これまで述べたように、イスラームの国法化を求めず、またジハードについても「大ジハード」の「小ジハード」に対する絶対的優位性を主張した。

こういったグス・ドゥルの思想の根源にあったのは、「インドネシアのイスラームを創出したい」という思いだ。数百の民族と、歴史的に見てもイスラーム以外の影響を強く受けている文化を無視することなく、インドネシアの風土、歴史的背景、多民族や多宗教の社会状況に合致したイスラームの構築を目指していた。

そこには、ムスリム以外の少数派への思いが強く働いており、宗教に優劣をつけることなく平等に扱うという彼の基本姿勢を見ることができる。ムスリムも異教徒も個人としてそれぞれの宗教に根差した義務を果たし、公的にはすべての人間を包括する共和国という世俗体制を維持すればいいというイスラームのあり方を、イジュティハードによって提案したのだ。コーランにもその思想は示されている。

> 神を崇（あが）めよ。なにものをも神に併置してはならない。両親にはやさしくあれ、また縁者、孤児、貧者、縁つづきの隣人、縁のない隣人、そばにいる仲間、旅人、そして自分の右手が所有するものにも。神が傲慢不遜（ごうまんふそん）の者を愛したもうことはない。（第四章三六節）

イスラームや地域文化と民主主義の関係についてグス・ドゥルは、民主主義という価値はどのような社会でも充分に実現できると考えていた。ジャワに、年長者に対する絶対的な尊敬とある意味での服従という文化的土壌があっても、民主的な社会はつくることができる、と確信していた。さらにいえば、インドネシア社会は自国の文化的な特徴を維持しながら発展していくべきである、と考えていた。グス・ドゥルは、イスラームには個人の安全、信条、財産、職業の保護という西欧でいう民主主義の考えと共通する教えがあるとして、サミュエル・ハンティントンの著した『文明の衝突』については、極めて明確に反対の立場を表明している。

✝グス・ドゥルと政治

グス・ドゥルはイスラーム学者、イスラーム指導者であると同時に政治家としてもインドネシア社会に大きな影響を与えた。彼が政治家としてその本領を発揮したのが、それまでICMIへの参加や異教徒に対する態度などでは立場を異にし、それほど近しい関係を保っているとはいいがたかったアミン・ライスとの大統領選挙における協力だろう。ライスらの支持を得て大統領となったグス・ドゥルを、権力に執着心をもつ「政治家」と考える者も少なくなかった。しょせん、世俗的利益を求めているだけではないか、と批判する声もあった。

確かにグス・ドゥルが戦略をもった政治家であることは間違いない。しかし、彼をただ単なる権力や名声を求める政治家と断じるのは短絡的すぎる。アミン・ライスとの協力はグス・ドゥルにとって民主化を進める過程における極めて政治的な妥協であり、戦略でもあった。政治改革、インドネシアの民主化、宗教による差別の廃止などは、自身が大統領になることにより初めて実現するということをグス・ドゥルはよく自覚していたのだ。

また、また政治家としてのグス・ドゥルは態度や考えに一貫性がないと批判され、民主化を唱えながら、独裁的なスハルトに対して徹底的に対決しない姿勢も疑問視された。しかし、それは彼の根本的な思想が揺らいでいたからではない。むしろ、人間の自由を尊重するためには、あらゆる手段を用いるという信念があった。それが政治であれ、仇敵であれ、すべての人間が平等で自由に暮らせる社会の実現に必要なことはすべて試みる、ということが彼のあまりにも頑固な一貫性なのだ。

彼は大統領として民主化を断行したが、任期途中で罷免(ひめん)されてしまう。あまりにも頻繁な外国出張、国民協議会との対立に加えて、不明瞭な資金問題で大きな批判にさらされたのだ。思ったことをそのまま発言してしまうことで、反感を買ったりもした。

しかし、インドネシアの歴史のなかで民主化と信教の自由、他者への寛容性を大きく育てた功績は誰もが認めるだろう。グス・ドゥルの政治家としての基本的姿勢は、権力ある者に屈しないこと、イスラームを個人の良心の問題として扱うこと、新しいイスラームのあり方を模索することの三点だった。

第 6 章

テロリズムと対峙する大国
――「イスラーム国」の登場

イスラーム国に関連するテロに警戒するインドネシアの警察（©ロイター／アフロ）

†イスラームのイメージ

大学で学生たちに「イスラームをどう思う?」と尋ねると、「あまり知らない」という答えもあるが、それ以上に「何か危険」「怖い」「常に戦争をしている」といったように否定的なイメージが多く提出される。実際、歴史を見るとムスリムが関わったテロリズムもある。二〇一四年に樹立が宣言されたイスラーム国(IS)が行った公開処刑などは、世界に大きな衝撃を与えた。こういったことが、学生のイスラームに対するイメージの助長につながったのだろう。

しかしながら、これまで本書で検証してきたように、イスラームはテロリズムのような無差別殺人を容認する宗教ではない。では、なぜムスリムは暴力による破壊と殺戮を行うのだろうか。その答えはムスリム自身だけに求めることができるのだろうか。彼らに対する非ムスリムの側には何も顧みることはないのだろうか。世界で最も多いムスリム人口を抱えるインドネシアでは、イスラーム国に対して一体どのような反応が見られたのだろうか。

本章ではこれらについて、筆者がこれまで集めたムスリムの声、特に教条主義者たちのイスラーム国に対する理解や態度をもとに考えてみたい。序章でも触れた既成概念や偏見によって生み出されるイスラームの負のイメージを検証し、本質を理解し複雑に絡み合う事象を整理して考えることが今求められているのではないだろうか。

†イスラーム国の登場

西側先進国において、イスラームは「好戦的」で「過激」な宗教というイメージが根強く存在することは否定できない。これまで述べてきたように、世界史的な視点からすると、一一世紀末から一三世紀にかけて行われた十字軍において生まれた、キリスト教との対立の感情が現代まで続いている。一四世紀初頭に書かれたダンテの『神曲』には、ムハンマドやアリーを侮辱する描写があり、イスラームに対する嫌悪感がいかにキリスト教社会に広がっていたかをうかがい知ることができる。

歴史的にイスラームとの直接的関わりの少なかった日本でも、西側諸国ほど感情的な拒否反応が強くないとしても、イスラームに対するイメージは決して好意的ではない。二〇〇一年九月一一日のアメリカの同時多発テロはその負のイメージをさらに悪化させる結果をもたらした。それ以降イスラームはテロリズムとの関わりで報道されることが多くなった。そして、二〇一四年六月に独自のカリフを擁し独立国家を宣言したイスラーム国の登場は、イスラームが残忍で暴力的であるという印象を全世界に広げてしまった。

イスラーム国は、インターネットを駆使して自らの宗教的立場や政治的主張を発信し賛同者を募る一方で、その過激な活動により世界中の非ムスリムばかりでなく、同胞である多くのムスリムたちにも衝撃と恐怖を与えた。彼らは自らの考えと合わない者を不信仰者（カーフィル）として躊躇なく処刑する。そして、日本を含めた西側諸国の非ムスリムを頻繁に捕え身代金を要求し、要求が受け入れられないときには、人質を処刑するという非人道的な行為をインターネットで公開した。日本人も二〇一五年に二名が処刑されてしまった。

†イスラーム国の背景

そのイスラーム国は、世界最大のムスリム人口を抱えるインドネシアにおいてどのように受け止められたのだろうか。その前にイスラーム国が登場してきた背景について見てみよう。イスラーム国の始まりは、一九九九年頃にヨルダン人のザルカーウィーが創設した「タウヒードとジハード団」とされており、それから幾度かの改名と指導者の交代を経て、二〇一四年六月のイスラーム国の樹立宣言に至る。

その間、九・一一同時多発テロを主導したアル・カーイダの傘下の組織として活動した時期もあった。しかしながら、シーア派を強硬に排斥し、スンニー派によるカリフ制の樹立を目指すザルカーウィーと、あくまでアメリカとのジハードを優先するアル・カーイダのザワーヒリーとの方針の違いもあり、両者は反目し合うようになり、二〇一三年にはイスラーム国はアル・カーイダとの決別を選択する。

しかし、池内恵(さとし)が指摘するように、イスラーム国は、当時世界的な認知度を誇っていたアル・カーイダの「再ブランド化」であったと理解することもできる(池内二〇一五)。アル・カーイダにしろイスラーム国にしろ、普遍的な宗教的理念に基づいて誕生したというよりも、その時代、地域における特殊な政治的状況の産物ということができるのではないだろうか。

中東地域で二〇一〇年から始まった、いわゆる民主化を求める「アラブの春」という政治的出来事がイスラーム国の台頭に大きな影響を与えた。エジプトやリビアでは独裁政権が倒れ、国内改革が進んだ。シリアではアサド政権に対する大規模な反政府運動が二〇一一年三月に始まる。しかし、政権の崩壊にはつながらず、反政府勢力との内戦状態へと突入する。そしてイラクにおいて当時のマリーキ政権や反アメリカの活動を行っていたイスラーム国の前身である、バグダーディー率いる「イラク・イスラーム国」が、シリアの反体制勢力を支援し「ヌスラ戦線」が活動を始める。

しかしながら、「イラク・イスラーム国」は、二〇一三年にヌスラ戦線を吸収する形でそれまでの組織を「イラク・大シリア・イスラーム国（ＩＳＩＳ）」と改名し、拡大を目指す。ところが、ヌスラ戦線はこれに従わず、バグダーディーと方向性の違いを見せていたアル・カーイダへの忠誠を明らかにした。反アサドという目的は一致していても、イスラーム勢力が一致団結することはなかった。ヌスラ戦線やイラク・大シリア・イスラーム国以外にも、多くのイスラーム武装勢力が入り乱れ、シリアは大きな混乱に陥った。

アメリカ軍は二〇一一年一二月にイラクから完全撤退しており、地域の不安定さは増し、バグダーディー率いる「イラク・大シリア・イスラーム国」は、二〇一四年に入るとイラクのファルージャ、モスルなどを制圧し、シリア・イラクの広大な地域を支配地として6月に「イスラーム国」の樹立に至ったのだった。

†インドネシアとイスラーム国

イスラーム国によるカリフ制の宣言は、世界一のムスリム人口を抱えるインドネシアでも様々な反応を引き起こした。それまで幾度かのテロ事件を経ながらも、「寛容なイスラームの国」「穏健なムスリム」であることを強調することで、国際社会での一定の地位を維持してきたインドネシア政府は、過激なイスラーム国の信奉者が増加することに大きな危機感を覚えたことは間違いない。

九・一一同時多発テロ以降、イスラーム世界と西側諸国との相互不信が増すなかで、「テロの国」というイメージが定着することを避けたいインドネシア政府は、国際的にもインドネシアのイスラームが穏健派であり、寛容であるということの周知活動に取り組んだ。例えば、インドネシア共和国外務省は、アメリカのニューヨークに拠点を置くイスラーム指導者であるサムシ・アリ氏と協力するかたちで、宗教対話の促進やイスラームの好戦性を否定し、その平和性を強調する集会やセミナーなどをアメリカ国内で開催した。

こういった活動によって、インドネシアを穏健派イスラームの雄として国際社会に認知させることは、インドネシアにとって重要な国策の一つであり、イスラーム国の影響を最小限にとどめるということが政府の急務であった。

イスラーム国によるカリフ宣言から二カ月後、インドネシア政府は国民に向けてイスラーム国に対する援助や支持を禁ずる決定を発表した。イスラーム国のイデオロギーがインドネシアの国是(こくぜ)であるパンチャシラと著しく異なるということをその理由にあげている。この時点の政府発表ではイスラーム国に参加したインドネシア人は五六名とされた。しかしながら、二〇一五年一月にはイラクやシリアにイスラーム国の戦闘員として参加したインドネシア人はさらに増え三五〇人となった。

政府と呼応するようにインドネシア・ウラマ評議会（MUI）は、イスラーム国を激しく非難する声明を二〇一四年八月に発表した。ＭＵＩはイスラーム国を過激で罪のない人々を殺戮する集団と断じ、そのあり方は反イスラーム的であるとしたのだ。そこからは、インドネシアのウマットを破壊し、パンチャシラに基づくインドネシア共和国の統一を脅かすものであるとして、イスラーム国の影響に対して強い懸念をもっていることをうかがうことができる。

このＭＵＩの発表は、いわゆる宗教判断としての「ファトワ」ではなく、ＭＵＩの意見の表明というかたちを取った。イスラーム国は判断に迷うことさえないほどイスラームの教えに反している、というのがその理由だった。そのことからも、インドネシアのイスラーム指導者は、インドネシアにおけるイスラーム国の影響を最小限にとどめたいという思いがあったことがわかる。

†イスラーム国に魅せられたムスリムたち

ところで、イスラーム国は多くの外国人戦闘員を抱えることで知られている。一説では二〇一四年時点で一万五〇〇〇人を数えていたという（国枝二〇一五）。

チュニジアやサウジアラビア、ヨルダンなどムスリムが多数派を占めるアフリカ、中東の国々からの参加が目立つが、イギリス、フランス、ドイツなどのヨーロッパから数百人単位でイスラーム国に加わっていることも注目される。その多くはヨーロッパに移住した親をもつ若いムスリムたちである。

国際政治学者のゲルゲスは、こういったヨーロッパに住む若いムスリムたちは、いわゆる自由主義のヨーロッパ諸国が、イスラーム世界の独裁政権を政治的戦略によって支持することで、裏切られたと感じたことが大きな原因だと指摘している（Gerges2016）。若き西欧生まれのムスリムたちは、西側諸国の国際社会における偽善や、日和見的政治姿勢に対する批判の気持ちを強く抱くようになったのだ。

はからずもイスラームをそのアイデンティティの根本にもちながらも、西洋で生まれた彼らが、平等や人権などのヨーロッパ啓蒙運動から派生した近代的理念を教育によって理解し、西欧の不正義を糾弾するという皮肉な結果をもたらしたということもできる。

このことは、自由、平等、博愛の精神で革命を起こしたフランスや、人間の理性に信頼を寄せ、善の価値を高らかに謳うヨーロッパ各国が、アジアやアフリカを植民地支配によって搾取し、自由の国アメリカを建国した白人が黒人を差別したとき、被支配者と差別された者たちが異議を唱えたこと、ときには武器を取り抵抗したこととどこか類似している。テロ行為を肯定することは決して許されないが、こうした歴史を顧みることは、多くの若いムスリムたちが、なぜイスラーム国という暴力主義に走るのかを理解する一つの手がかりになるのではないだろうか。

また、イスラーム国に参加したのは、ヨーロッパ生まれのアラブやアフリカをルーツとするムスリムたちばかりではない。イスラーム国に忠誠を誓い、自ら生まれたヨーロッパの地を離れた白人たちも少なからず存在する。

それは、日本も例外ではない。二〇一四年一〇月には大学生がイスラーム国に参加すべく出国を試みたが、出発直前に空港で拘束されるという事態が発生した。そのほかにも、有名国立大学の学生がイスラーム国に参加するために準備をしていたこともわかっている。

なぜ、こういった元来イスラームとは関わりをもたない若者がイスラーム国に魅せられるのだろう。その背景はそれぞれで、この問題を短絡的に論じることはできないが、イスラーム国のITを駆使した広報戦略の効果を指摘する研究者は多い。

†イスラーム国のメディア戦略

実際イスラーム国は、特別にメディアセンターを設け洗練されたウェブサイトを開設した。そして、英文の極めて質の高い雑誌をインターネットを通じて世界に向けて発行していた。外交官の国枝昌樹は、イスラーム国への参加を募るビデオは人気ゲームに似せて制作されていたため、ゲームを好む欧米の若者に魅力的だったと指摘している(国枝二〇一五)。これらは仮想世界と現実世界の境界を曖昧にして、「戦い」や「殺戮」に対する人間の理性を麻痺させる効果があるのではないだろうか。

コンピュータの発達は、確かに私たち人間の生活を「便利」にした。情報は瞬時に世界各国に向けて発信することができ、他人とのコミュニケーションもSNSを通して簡単にできるようになった。しかし人間は、これらの「便利さ」が真実を背後に隠してしまう恐れがあることを忘れてしまいがちだ。さらに、「便利さ」は人間から思考する機会、または思考のプロセスを奪ってしまったのだ。

コンピュータ画面の戦闘シーンで殺戮が繰り返されていても、そこには戦争の是非や残虐性を思考させる要素はない。ただ、エンターテインメントとしての仮想空間があるだけだ。だが、現実の世界を生きがたく感じる者は、その非現実の世界に自らを投じ、やがて現実と非現実の区別さえつかなくなってしまう。相手の痛みや思いをコンピュータの画面から想像することは難しい。また、自分も痛みを感じることはない。そこに、人間同士の深淵なる断絶が生まれる。イスラーム国に魅せられた多くの若者は、自らの現実と実際の生活と向き合うことを拒絶し、異なった空間で自らの不満や苦しみを昇華させようとしたのかもしれない。

†インドネシアのムスリムとイスラーム国

これまで述べたように、インドネシア政府やMUIなどの宗教的権威、またNUやムハマディヤの大規模イスラーム団体は、ISを受け入れない態度を早々に表明した。では、それまで、過激思想のもち主として常にテロリストのレッテルを貼られたムスリムたちは、どのようにISに反応したのだろうか。

ISの国家樹立宣言に対し明確な立場表明を行ったのは、前章でも触れたアブ・バカール・バアーシルだ。シャリーアの施行を目指すイスラーム団体であるジャマー・アンシャルット・タウヒッド（JAT）を率いていたバアーシルは、投獄された身でありながらその発言は多くのいわゆる強硬派ムスリムたちに大きな影響力をもっていた。

そのバアーシルは、「JATのメンバーはISに忠誠を誓うこと」という声明を二〇一四年八月に発表したのだった。このバアーシルに影響を与えたといわれているのが、ヌサカンバンガン島の刑務所で共に留置されていたアマン・アブドゥルラフマンやイワン・ダルマワンらの過激思想のもち主だ。

実際、アブドゥルラフマンは、ISを支持する団体であるジャマー・アシャルット・ダウラ（JAD）のリーダーといわれており、JADは二〇一六年一月に起きたジャカルタのショッピングモール近くでの爆弾事件との関係も指摘されている。インドネシア政府の反テロ対策局は、ＪＡＤがほかのどのイスラーム過激派グループより危険だという見解をもっている。

ＪＡＤをはじめとした過激派のネットワークは、ＩＳ設立後に多くのインドネシア人をリクルートし、シリアに送ったといわれている。その多くは、ＩＳのカリフ制に希望を見出し、アメリカなど西欧諸国のそれまでの二枚舌的な外交政策や反イスラーム的な言動に抗議をする気持ちをもちシリアに向かったのだろう。

二〇一五年五月にはインドネシア現地の新聞に、ＩＳに参加したが失意のうちに帰国したムスリム青年のインタビューが掲載された。三一歳というその青年は、以前はアブ・バカール・バアーシルの率いるＪＡＴのメンバーであり、中東の同胞であるムスリムたちをＩＳに参加することで救済したいという気持ちを抱いていたという。

ＩＳへの誘いを受けたときは、当時抱えていた借金を肩代わりするという条件が提示された。しかし、実際にシリアに赴いたものの月給は約四二ドルで、当初約束された「多額の給与」が支払われることはなく生活状況は劣悪だった。そして「同胞のムスリムを助ける」活動とは程遠い地域の警備活動に従事することになる。この青年は、二カ月半のシリアでの滞在の後帰国したが、二度とシリアに戻らないことを誓わされ、もし戻ればスパイとして処刑するとの宣告を受けたという。インドネシアの生まれ故郷に帰った後、彼の借金は出発前と同じで、約束された報酬は支払われることはなかった。

†教条主義者の分裂

インドネシアからＩＳに参加したムスリムの多くは、恐らくこの青年のように純粋に中東で危機的な状況にある同胞のムスリムを救いたいという気持ちを抱いていたのだろう。しかし、同時に借金の返済や高額な給与という世俗的な要因が、彼らのＩＳへの参加を促したこともまた否定できないのである。

アル・カーイダの東南アジア版といわれたジャマー・イスラミヤ（ＪＩ）の指導者で、テロリストとみなされていたバアーシルのＩＳ支持発言が、これらのＩＳ参加者への大きな後押しになったことは間違いない。しかし、バアーシルの息子であるアブドゥル・ロヒムや側近でありテロリズムに関与したとして服役経験のあるハリス・アミール・ファラを含む当時のＪＡＴの幹部たちは、バアーシルの指示を拒否し、ＪＡＴを離脱して新たな団体であるジャマー・アンシャルシ・シャリーア（ＪＡＳ）を設立する。それまでバアーシルを絶対的な指導者として展開していた彼らの運動は、ＩＳをめぐって分裂することになった。

二〇一四年四月から八月にわたり、アブドゥル・ロヒムやハリス・アミール・ファラらはバアーシルと幾度も話し合い翻意を促したが、バアーシルは頑なにそれを拒否したという。その理由として、ハリス・アミール・ファラらはバアーシルが外部の情報を正確に受け取ることができず、テロリストとして同じ刑務所に服役していたアマン・アブドゥルラフマンの影響を強く受けていたことを認めている。それに加えて、バアーシルが過酷な投獄生活にあって疲弊し、的確な判断能力が鈍っていたことも充分考えられる。しかしその後、バアーシルはＩＳに対して一切の発言をしないと宣言し、ＩＳへの支持を取り下げたとの見方もある。

IS をめぐって新団体 JAS を設立したアブドゥル・ロヒム

ＪＡＳを設立したアブドゥル・ロヒムは、国連のテロリスト一覧にその氏名が掲載され、インドネシア国内、国外においてテロリズムに関わる危険人物として報道されることが多い。では、アブドゥル・ロヒムらのＩＳに対する拒絶は、どのような宗教的見解に基づくのであろうか。敬愛する父親と袂を分かってまで、彼が守ろうとするイスラームの教えとは何なのだろうか。それを考えることは、いわゆる「テロリスト」と厳格に教えを守ろうとする「イスラーム社会の構築者」の違いを明らかにすることにもつながるだろう。

†イスラーム国を拒絶する理由

一部には、彼らがアル・カーイダ系のヌスラ戦線と歩調を合わせているという政治学的な見方もあるが、ロヒムはそれを明確に否定している。ここでは、ロヒムらのイスラーム理解をもとにIS拒否の理由について考えてみたい。

ふだんは強硬派ムスリムとして「原理主義者」、ときには「テロリスト」という名を冠して呼ばれることが多いロヒムやハリスが、ISを拒否する根本的な理由として、異教徒のみならず同胞であるムスリムの処刑も厭わない残虐性、そして自らの意と反する者を異端者として切り捨て、殺害を繰り返すその思想をあげることができる。

筆者は、これまでに幾度も「テロリスト」として危険視されているロヒムやハリスから聞き取り調査を行い、彼らの宗教的思想に触れてきた。ここでは、それらをもとに、彼らがなぜISを拒絶するのかについて詳しく見ていこう。ISはまさに殺戮を宗教的真理に転化しようとする誤謬に満ちた極端主義であるという。そしてこの極端主義はイスラームの教えとは合致しないというのが彼らの考えだ。

彼らの主張の根拠は、コーランに求めることができる。前にも示したが、極端な感情や行いを戒め、ムスリムがある一定の規範を逸脱することがないようにという教えだ。


神の道のために、おまえたちに敵する者と戦え。しかし、度を越して挑(いど)んではならない。神は度を越す者を愛したまわない。（第二章一九〇節）

ISが行っている処刑をはじめとした殺戮は、この本質的なイスラームの教えに反しているという。二〇一五年にISがヨルダンの戦闘機パイロットを捕らえ、焼き殺したこともイスラームの教えには反していると考えている。シャリーアに基づいてそのパイロットを罰するのであれば、その「犯罪」が行われた場所で、成人した男性四人の証人がその行為を実際に目撃していることが条件になる。その意味でも、ISはシャリーアを正しく実施していないというのがロヒムの見解だ。

イスラームは、神からの厳しい処罰が下される宗教という印象が強い。実際、シャリーアにより人々の暮らしが規定され、犯罪、反宗教的行為には罰則があることも事実だ。しかし、その一方で教えの根本原理を最も重要視する「イスラーム社会」の構築を目指す者たちは、イスラームにおける赦しの大切さを強調する。実際にコーランにもそのことが明確に示されている。

宗教が神のものになるまで、彼らと戦え。しかし、彼らがやめたならば、無法者にたいしては別として、敵意は無用である。（第二章一九三節）

†現代のハワーリジュ

イスラームの歴史のなかで、自らが認めない者たちを「不信仰者（カーフィル）」として糾弾し、殺戮することを是と考える集団がいた。彼らの思想をタクフィールと呼ぶ。それは、第四代カリフであるアリーを暗殺した、ハワーリジュ派と呼ばれる者たちが準拠した考えである。このハワーリジュ派は、もともとアリーの支持者であったが、アリーが敵対するムアーウィヤと妥協する姿勢を見せると、それを批判し最終的にはアリーを殺害してしまう。ハワーリジュは元来、「出たもの」を意味する。つまり、アリーの支持者の枠から出たという意味である。

現代インドネシアで〝危険なムスリム〟とみなされているハリスやロヒムは、ISとこのハワーリジュ派との共通点を指摘している。自らが認めないものは殺しても構わないとするタクフィールの思想は、ISの極端な暴力主義と重なるという。カーフィルは、本来非ムスリムを指す言葉であるが、ハワーリジュ派は、同じムスリムであってもカーフィルとして殺害することも厭わない。

こういったタクフィールの思想は、イスラームの「原理」とはかけ離れているというのが、ロヒムが率いるJASの基本的態度である。イスラームは、ムスリムであれ非ムスリムであれ無差別に殺害することを許しているのではないと彼らは考えている。その根拠となるのが、コーランの次の教えである。

> 殺人を犯したとか地上で悪いことをしたとかという理由もないのに他人を殺す者は、人類すべてを殺すのと同等であり、他人を生かす者は人類すべてを生かすのと同等である、とした。（第五章三二節）

ISに対して異議を唱える〝強硬派〟は、ロヒムやハリスなどのJASのメンバーばかりではない。先述のヒズブット・タフリール・インドネシア（HTI）も同じく、ISを激しく糾弾し、ISが独自に宣言したカリフも拒否する姿勢を示した。HTIのリーダー

であるイスマイル・ユサントは、ＪＡＳのロヒムやハリスと同じく、ＩＳはタクフィール
の思想をもつハワーリジュ派と同じであると説明する。

†資質を欠くカリフ

　ＩＳが同胞であるムスリムを殺戮することの残虐性に加え、ＩＳのカリフはイスラーム
の教義上の正当性に欠けているというのだ。正統なカリフ制にはいくつかの条件がある。
まず、カリフの治める地域の軍事勢力がすべてそのカリフに属していること、そして地域
の人々がカリフへの忠誠を誓っていること、カリフ自身が指導力や知性をもった自立した
成人ムスリム男性であり、シャリーアを正しく運用する能力を有することなどである。
　ユサントは、ＩＳがカリフを宣言したイラクやシリアなどの地域は、政情が極めて不安
定ですべての地域の軍事勢力がカリフの傘下にあるとはいいがたく、また地域の人々がす
べてカリフに忠誠を誓っている状況とは程遠いと指摘するのだ。これらの条件を考えると、
カリフとなったアブー・バクル・バグダーディーが仮に能力をもつ成人ムスリムだとして
も、カリフとして必要な条件を満たしているということはできない。
　ユサントによると、インドネシア以外のヒズブット・タフリールのメンバーも多くＩＳ
により殺害されているという。こういったＩＳのあり方は、イスラーム全体にとって大き

なマイナスであり、ＩＳのカリフではなく、イスラーム教義上の正当性をもったカリフ制の実現が急務の課題であるとするのがＨＴＩの基本的な姿勢である。

インドネシアにおいて最も戦闘的なイスラーム運動を展開しているのは、第5章でも触れたイスラーム防衛戦線（ＦＰＩ）だろう。彼らが、イスラームの宗派のひとつであるアフマディヤを攻撃したり、断食月に酒類の提供を続けるカフェを破壊したり、またインドネシア版『プレイボーイ』誌の発行に対する反対運動を主導したりという強硬路線を取ることは既に述べた。当初はシャリーアの制定を目指す全世界的なジハード運動として中東で誕生したＩＳに対して支持を表明した。

しかしながら、イスラーム学者（ウラマ）を含めて同胞であるムスリムをカーフィルとして殺戮することを厭わないＩＳは受け入れられないとの見解を、ＦＰＩの指導者であるハビブ・リジックは、後にインターネットの公式サイトで発表している。このように、インドネシア政府、穏健派イスラーム団体、教条主義者たちの強硬派イスラーム団体いずれもＩＳを拒否する姿勢を示している。実際、ＩＳを支持するＪＡＤなどのグループが存在するといわれているが、インドネシアのウマット全体で考えれば、ＩＳ支持者は極めて限られているといっていいだろう。

†「ムスリム社会」とテロリスト

これまで見てきたように「イスラームの原理」を絶対的な価値とする者たちは、ＩＳやテロリズム、カーフィルの虐殺を非イスラーム的として完全に否定している。このことからも、イスラームの教えそのものが排他的で暴力主義であるという理解は妥当性を欠くことがわかるだろう。

では、ＩＳを支持するムスリムの存在をどのように理解したらいいのだろうか。前に述べたようにムスリムに対する同胞愛や経済的な理由、歴史的背景が生み出す西側諸国への懐疑と憎悪の感情などにより、ＩＳに参加する市井のムスリムは一定数存在する。そして、自爆テロや無差別殺人といった非人道的な行為をイスラームの教えによって合理化してしまうムスリムたちもまた存在する。彼らこそが「テロリスト」である。

イスラームの原理からかけ離れた行為をしているとして、このテロリストたちは「ムスリムではない」と考える者も多いだろう。しかし、ここで指摘しておきたいのは、彼らの宗教的理解がたとえ誤りに満ちたものだとしても、彼らがイスラームという大きな枠組みから除外されることはないということだ。イスラームという宗教があって初めて彼らは存在することができる。つまり、イスラームという大きな枠組みのなかで政治的、歴史的、経済的、地理的または個人的な様々な要因に影響され、彼らはその教義を解釈する。

　これまで述べてきたように、彼らはイスラームが柔軟に解釈され、そこに住む者たちの生活と教義が現実的状況により有機的に展開する「ムスリム社会」の住人であるのだ。インドネシア版イスラームを創出したいと考えたグス・ドゥルは、インドネシアにおける「ムスリム社会」のリーダーでもあった。それらの態度と解釈は、西洋の非ムスリムたちが掲げる「人権」や「民主主義」という価値と呼応し肯定的に受け止められた。

　こういったいわゆる〝西側の価値観〟と合致した穏健的なグス・ドゥルらの活動や発言が頻繁にメディアによって伝えられるために、その存在がクローズアップされることが多いが、「ムスリム社会」の多数派はアラビア語を自由に操り神学に対する造詣が深い学者や活動家ではなく、こういったイスラーム的教養を身につけているとは限らない一般大衆のムスリムたちなのだ。

　彼らの興味は、健康な毎日、より良い職業を得て家や車を購入する安定した生活なのである。大多数のムスリムは、これらの現世利益を獲得するために、原理的なイスラームの教えから逸脱するとしても、アッラーのみならず聖人の墓に詣でることを厭わない。一部の「イスラーム社会」を構築しようとするムスリムからの批判はあっても、彼らがイスラームという宗教の枠から出ることはないのだ。

†何がテロリストを生むのか？

「ムスリム社会」には、進歩的で人類の共生のためにより柔軟な神学的解釈をする学者や世俗的現世利益を求める「無害なムスリムたち」ばかりが住んでいるのではない。現実には、人間社会における脅威の出現を促すようなイスラーム解釈を「柔軟に」する者、つまりテロリストたちもそこに暮らしている。

「ムスリム社会」は状況とムスリムの相対的関係によって形づくられる。では、テロリストたちはどのような状況からその排他的で暴力的な行為を合理化させるのだろうか。それにはいくつかの要因がある。

まずは、歴史的な要因である。一一世紀から約二〇〇年にわたって続いた十字軍は、イスラーム圏とキリスト教が支配的な非イスラーム圏である西側諸国との不信と憎悪を決定的なものにしてしまった。前にも述べた西欧社会におけるイスラーム嫌いは、理論で説明できるものではなく歴史的に植え付けられた感情ということができるのではないか。

インドネシアのケースを考えると、第二次世界大戦後の独立に際してジャカルタ憲章の七語、つまりムスリムにシャリーアの遵守を義務づけた文章が削除され共和国制を採用したことがあげられる。イスラームがないがしろにされたと感じる者のなかには、その遺恨からイスラームの教えを逸脱し復讐の合理化を可能にする解釈をつくり出す。そこにテロリズムが生まれる。

また、国際政治もテロリズムの合理化に大きな影響を与えている。例えば、第一次世界大戦時の一九一六年にイギリス、フランス、ロシアはオスマン帝国の分割統治を取り決めた（サイクス＝ピコ協定）。しかし、この協定は前年に結ばれたアラブ人の独立を認めたフセイン＝マクマホン協定や、イギリスがユダヤ人の独立を認めたバルフォア宣言（一九一七年）と矛盾することから〝二枚舌外交〟として批判を浴びた。

イスラム研究者の池内恵が指摘するように、同条約が当時の中東情勢における「処方箋」（池内二〇一六）だったとしても、イギリスが展開した二枚舌外交は、パレスチナや世界中のムスリムたちの不信を拡大させる結果をもたらしたことには変わりがない。イスラームにおける同胞意識は、多くのムスリムによって共有され、イスラームの敵としての西側諸国をターゲットにするテロリズムが一部の過激なムスリムによって行われることになったのだ。

さらに最近の国際政治における、アメリカ合衆国のイスラームに対する扱いも無視することはできないだろう。一九七九年のイラン革命後に地域のイスラーム化を恐れたアメリカ政府が、イランの隣国であるイラクのサダム・フセインに接近し、イラン・イラク戦争時にはイラクを援助したことはよく知られている。

開示された当時の機密書類によって、二〇〇一年から二〇〇六年までブッシュ政権の国防長官を務めたドナルド・ラムズフェルドが、一九八〇年代に当時のレーガン大統領の特使としてイラクに赴き、サダム・フセインへ化学兵器の開発に暗に同意していることが明らかになっている。また、一九八〇年にアフガニスタンに侵攻した当時のソ連に対抗するために、アメリカ政府がムスリム兵士（ムジャヒディン）を援助したといわれている。あるいは、アル・カーイダのオサマ・ビン・ラディンがＣＩＡの援助を受けていたのではないかという説もある（Roy2004; Ewans2001; Bergen2002）。

しかし、一九九〇年代に入って状況が一変する。アメリカの盟友であったサダム・フセインは隣国のクウェートに侵攻する。そのときからサダム・フセイン率いるイラクは、アメリカの意に沿わない敵国となった。結果、湾岸戦争が勃発し、アメリカは〝世界の警察官〟として大量破壊兵器、化学兵器を所持しているかもしれないイラクを爆撃した。

その際に、世界中の多くのムスリムが、アメリカの自己の利益のために利用されたと感じたのではないだろうか。大多数のムスリムはアメリカを敵国として攻撃することも、テロリズムを起こすこともなかったが、なかにはアメリカ政府の行為をイスラームに対する攻撃とみなして、ジハードを宣言し攻撃を加える者が出現した。オサマ・ビン・ラディンはその典型的な一人だといえるだろう。

†自文化中心主義とテロリズム

インドネシアにも、こういったアメリカ政府とそれを支持する西欧諸国の欺瞞性に対して不信感と憎しみをもち、イスラームの原理を逸脱するテロリズムを肯定するムスリムたちが現れた。これまで述べたように、スハルト政権崩壊後の民主化が進んだインドネシアでは、それまで政治権力によって活動を抑圧されていたイスラーム団体が相次いで市民権を得、自由に発言する状況が生まれた。強権的なスハルト体制が消滅することによって「自由」を手にしたテロリストたちが蘇生し、その破壊行為を活発化させたことは大いなる皮肉ということもできるだろう。

そして、もう一つ忘れてならないテロリズムを生む要素となり得るのが、グローバル時代において絶対的な優位性をもった西欧諸国の傲慢さだ。それは、イスラームのように「異なった宗教」を劣等な、ときとして劣悪なものとして規定し、その価値を否定するエスノセントリズム（自文化中心主義）的態度であり、そこに生まれるのは相互不信と憎悪でしかない。

「私」と「私の仲間」つまり「私たち」が共有する思想と価値が、「私たち」以外の「彼ら」のそれと異なるとき、「彼ら」は理解できない思想と態度をもった異質な集団であり、「私たち」の正義と文明を共有できない「不正義」と「野蛮」な世界に生きる異邦人とみなされる。そこには、「彼ら」に対する理解も敬意も存在しない。ただ優越と侮蔑の意識があるのみだ。

二〇一五年にパリで起きたシャルリ・エブド襲撃事件は、そのことが端的に表れたといってもいいだろう。ムスリムを名乗るテロリストが新聞社を襲ったこの事件は、人命を奪った決して是認することができない犯罪行為である。しかし、その一方で必要なのは、なぜ彼らムスリムは殺戮というテロリズムを起こしてしまったのかという根本的な理由について問いかけることではないだろうか。

『シャルリ・エブド』紙は事件以前、数度にわたりムハンマドを徹底的に侮辱する戯画を表紙に掲載した。そこには、コーランを否定し、下半身を露出させたムハンマドが鮮明に描かれていた。イスラームを嘲笑するその新聞は、フランスの批判精神を含有した特有のエスプリの表出であって、表現の自由はそれを保障するという論調がフランス国内をはじめ世界各国の非イスラーム諸国で聞かれた。「私はシャルリ」と書かれたプラカードを掲げ、シャルリ・エブド社を「自由」と「人権」の砦として支持する市民も現れた。

†価値の衝突

自由を勝ち取った歴史を有するフランスでは、相手がどのような発言をしても、その発言の自由を尊重するというのが伝統的価値なのだ。よって、『シャルリ・エブド』がイスラームに対してどのような態度を取ろうとも、「彼ら」つまりムスリムたちはそれを受け入れるべきなのだ、とフランス的伝統を支持する者は考える。

このように表現の自由が宗教の尊厳に先立つという態度は、世俗的な西洋世界では至極当然のことだ。しかし、ムスリムにとってイスラームは、唯一絶対神であるアッラーから与えられた何よりも尊い最高の倫理規範であり、同時にアイデンティティの源でもある。表現の自由を尊重するという理性的理解は、アッラーの神託を超えることはない。

つまりシャルリ・エブド事件は、フランス的伝統とイスラームの伝統が衝突した結果ということもできる。必然的に、双方が自らの伝統を相手に強要しないことが重要だという議論が出てくるだろう。つまり、ムスリムはフランスの伝統である表現の自由の発露であるイスラームやムハンマドに対する侮辱を受け入れるべきである、という論理も成り立つ。しかし忘れてならないのは、ムスリムにとってイスラームは、アッラーという神から与えられた聖なる教えであり、そこに存在するのは不可侵の神の言葉の絶対性であるということだ。

そもそも、アッラーやムハンマドを侮辱した者には、極刑が下されなければならないというのがイスラームの教えである。例えば、コーランの第九章六一節には「神の使徒を苦しめる者どもには痛烈な懲罰がある」と明示されている。

インドネシア国内でも、『シャルリ・エブド』がムハンマドの戯画を掲載した直後には、編集者に対して死刑を要求する運動が起きた。この現象を見て「イスラームは危険で、野蛮な宗教である」と断じたり、「インドネシアのイスラームの寛容性が失われつつある」とする言説は、イスラームの原理を無視した暗愚な理解といわざるを得ない。

ムスリムにとってアッラーもムハンマドも侵すことのできない神聖な存在で、それらをあらゆる侮辱から守ることは、彼らの世俗的理性を凌駕する宗教的義務なのだ。ただ、一部のムスリムは、その宗教的義務をテロリズムという誤った形で実現しようとした。そのことがイスラームの本質的な教えに基づいていないことは、これまで述べた通りだ。実際、多くのインドネシアのムスリムたちが『シャルリ・エブド』を批判し、彼らの死刑を求めはしたが、テロリズムに走ることはなかったことがそのことを証明している。

†想像力の必要性

ユーロセントリズム（ヨーロッパ中心主義）に陥った非ムスリムが、イスラームとテロリズムを同義と捉え、イスラームを自らの宗教に比して劣った宗教、ムスリムを理解不能な異邦人とみなしてしまうとき、そこには、神の言葉の絶対性を最優先し、理性で他者との関係を構築しないムスリムに対する無理解が生まれる。もちろん、多くのムスリムは神の言葉の絶対性を充分認識しながら、社会のなかで妥協しそれぞれの環境に適応して暮らしている。しかし、一部にはイスラームの原理に忠実に生きることを最大の目的としているムスリムが存在する。

そういったムスリムに対する理解の欠如が、非イスラーム世界とイスラーム世界との深い溝をつくりだす。ヨーロッパでは、一八世紀の啓蒙時代から人間の理性に対する信頼によって物事を理解する傾向が顕著になった。「神は死んだ」というニーチェの言葉が象徴するように、それまでの宗教的伝統は非科学的、前近代的なものとして退けられるようになってしまった。

しかし、イスラームにおいて「アッラーやムハンマドを侮辱してはならない」という教えは普遍であって、理性で理解される表現の自由を超えている。非ムスリムたちがこのムスリムのメンタリティを慮（おもんぱか）ること、つまり想像力によって理解することが今後テロリズムを減じさせるためには必要なことではないか。

序章で述べたように、想像力とはあるイメージをつくり出すのではなく、既成概念を打ち砕く能力であるというバシュラールの言葉を思い出す必要がある（Bachelard2005）。野蛮な異邦人というムスリムのイメージを、人間の理性である想像力によって払拭していくことが重要なのだ。

シャルリ・エブド事件後のインドネシアにおける反応に対して、これまで穏健的だったイスラームが不寛容に転じていると危惧する論調が珍しくない。そして多くの識者がインドネシア政府は、今後も穏健派イスラームの代表として国際社会に「良いイスラーム」を普及していくべきだという主張を展開している。しかし、こういった考えはインドネシア社会そしてこの世界に存在する「対立」を増長させることにもなる。「良いイスラーム」が語られるとき、そこには常にその対極として「悪いイスラーム」が想定されている。

これまで述べてきたように、なぜその「悪いイスラーム」が出現するのかについて思いを巡らせない限り、人類の平和的共存は実現しない。憎悪は古い価値を打ちたおすことはできるが、何も新しい価値をつくりだすことはない、というのは詩人であり作家の三木卓の言葉である（三木一九七一）。

重要なのは、イスラームがどのように社会で機能してきたかを、冷静に分析することだろう。つまり、多くのムスリムたちが、自らの信仰であるイスラームが何らかの形で侮辱されたと感じたとき、感情的な反応を示す。そういったムスリムはいわゆる「イスラーム社会」の構築を目指すムスリムだけではない。日常生活で教義を緩やかに解釈し生活に適合させているいわゆる「ムスリム社会」の住人たちも含まれる。彼らの行動は、ムスリムのアイデンティティが否定されたとき、感情的になり不寛容的にさえなる。その状況だけを見てインドネシアの寛容性が失われていると断じるのは性急であろう。

終　章

ムスリムと家族になれるのか
――宗教的寛容性を考える

ジャカルタ首都特別州知事を務めていたキリスト教徒アホック(左)と著者(右)

†ムスリムと家族になれるか？

インドネシアとの関わりが長くなるにつれ、親しい友人も増えた。なかには、「弟と同じだから」と筆者を家族の一員として扱ってくれる友人もいる。あるとき、調査で幾度も会い、食事を共にするような厳格なムスリムに、「あなたと私は兄弟同然だから」と軽口をたたいたことがあった。しかし、その友人は真剣な顔で、「悪いけれど兄弟にはなれない。二人は親しい友人同士だけれども、君がムスリムにならなければ家族ではない」といった。

この異なった態度を、寛容、不寛容という二元的な見方で簡単に判断することはできない。家族と名乗ることを拒否した友人は、筆者が危険な目に遭わないように常に気を遣ってくれる。彼はイスラームの原理を教条的に守っているにすぎないのだ。非ムスリムがイスラームを外から眺めるとき、「正」と「負」に分けて判断する偏見にも似た感情をもつことはないだろうか。

宗教的な寛容性とはいったいどういうことなのか、イスラームが異なる宗教やインドネシア土着の文化とどのように向き合っているのか、本章では、それを探求しインドネシアという国、そしてイスラームについてより深く理解するヒントとしたい。

†多数派の少数派メンタリティーの終焉？

これまで述べてきたように、インドネシアは多くの民族と宗教が混在する多文化社会である。世界一のムスリム人口を抱え他宗教との共存をその国家目標に、これまで様々な努力が政府、市民レベルでなされてきた。しかし、二〇一四年に第七代大統領に就任したジョコ・ウィドド（ジョコウィ）は、ことさら「多様性のなかの統一」やパンチャシラを強調するようになった。言葉を換えていえば、パンチャシラが危機にさらされているという認識があったということだろう。

実際、ジョコウィは、二〇一八年にパンチャシラ理念啓蒙庁を設立し、国家五原則の維持発展に対する意気込みを感じさせた。だが、共和国発足時から民族主義かイスラームかという歴史的な対立を抱えるインドネシア社会の脆弱さからパンチャシラが生み出されたことも事実で、パンチャシラを社会の基本理念として強調することは、決して目新しい展開ではない。

ただ、ジョコウィは、スハルトの新秩序時代、レフォルマシの時代を経たインドネシアでイスラームがより強調され、少数派との共存を目指すパンチャシラの精神がないがしろにされ始めているのでは、と感じたのかもしれない。

自分たちがムスリムであるというアイデンティティがことさら強調されるようになったのは、一九九〇年の全インドネシア・ムスリム知識人協会（ＩＣＭＩ）が設立された頃だろう。一九八〇年代はスハルト政権がイスラーム急進派を強権的に抑え込む状況が続いたため、一般市民はムスリムであることに変わりはないが、それを第一義的に声高に叫ぶことはなかった。

例えば、ジルバブを被るムスリム女性も、一九八〇年代には二〇〇〇年代と比べ格段に少数だった。また、新秩序時代と比べてムスリム同士の挨拶であるアラビア語の「アッサラーム・アライクム」もレフォルマシ以降は多用されている感がある。一九九〇年代のはじめには、グス・ドゥルが「アッサラーム・アライクム」ではなく、「スラマット・パギ」（おはよう）や「スラマット・マラム」（こんばんは）などのインドネシア語の挨拶を推奨するなど、ムスリムでありながら特にイスラームを強調せずに暮らすというのがインドネシアのスタイルであった。

ＩＣＭＩの設立は極めて政治的であるといわれているが、それまで社会の多数派でありながら〝少数派のメンタリティー〟をもってスハルト時代を生きてきたムスリム知識人たちにとっては、政権がイスラームにある一定の認知を与えたという意味で新たな時代の幕開けを告げる大きな出来事だった。実際グス・ドゥル以外の主だったムスリム指導者、知識人たちは競うようにＩＣＭＩに参加した。

　そして、一九九八年のスハルト政権の終焉に際しては、アミン・ライスなどＩＣＭＩの中心メンバーが大きな役割を果たしたことは、これまで述べてきたとおりである。つまり、イスラームが独裁政権を打倒するために人々を団結させることになったわけだ。こうしてイスラームの社会的役割の大きさが改めて確認されることになった。

　その後レフォルマシの時代を経て、インドネシア社会の自由化が進み、いわゆる強硬派ムスリムの活動も活発化した。それは、それまで多数派でありながらどこか劣等意識をもって暮らしてきたムスリムたちが、その宗教的アイデンティティを躊躇なく強調し始めたということにほかならない。

†アホック事件と〝イスラーム化〟

　研究者やインドネシアに詳しいジャーナリストのなかには、こういった社会変化に伴い、それまで穏健とされていたイスラームが保守化し、急進的かつ過激に変化してきたと解説する者も少なくない。女性のジルバブの着用者や、聖地巡礼（ハッジ）の参加者などの増加からもそれがうかがえるというのだ。そして、インドネシア社会が「イスラーム回帰」しつつあるという（Finna2017; Nuranyah2018）。その論調には、そういった現代のイスラームが「負」であり、それ以前の中東のイスラームとは異なる〝インドネシア的イスラーム〟が「正」であるという根本的認識を見ることができる。これは、西洋の非イスラーム的視点を基軸として判断を下すオリエンタリスト的態度ということができるのではないか。

インドネシア・ウラマ評議会（MUI）が不寛容なイスラームを助長しているという指摘もある。リックレフスは当時のスシロ・バンバン・ユドヨノ（SBY）が、二〇〇五年に大統領としてMUIに宗教権威を与えたことがその発端だと指摘している（Ricklefs2012）。

確かに、MUIがLGBTをハラムとするファトワを発表するなど超保守的な態度を示していることは事実だ。では、インドネシアのムスリムたちのなかには、そのMUIに影響を受けて偏狭な宗教的な態度を取る者が増えているのだろうか。そのことを考えるうえでよく引き合いに出されるのが、二〇一六年から二〇一七年にかけて起きた「アホック事件」である。ジャカルタ知事を務めていたジョコウィが二〇一四年に大統領に選出されると、副知事であったバスキ・チャハヤ・プルナマ（アホック）が知事に昇格した。任期満了に伴い、アホックは二〇一七年のジャカルタ首都特別州知事選挙へ立候補を表明し、知事として初めて民意を問うことになった。

しかし、二〇一六年九月の選挙演説においてコーランの一節に言及し、それが宗教侮辱罪にあたるとして批判を浴び、二〇一七年四月の知事選でも落選、その後逮捕され実刑判決を受けた。そのアホックの発言に対して、MUI幹部は早々にイスラームに対する冒瀆であるとする公式見解を表明し、インドネシアではアホックに抗議する風潮が盛り上がりを見せた。二〇一六年一二月にはジャカルタで大規模なデモと集会が開かれ約五〇〇万人が参加したという。

この大規模な反アホック運動から、インドネシアにおけるムスリムが「イスラーム回帰」し、間違った方向に向かっていると考えるのは尚早である。インドネシアのイスラームが中東のイスラームとは異なった発展の仕方をしてきたのは確かで、その宗教的表現には差異も見られる。しかし、イスラーム伝播以来、インドネシアのムスリムたちはイスラームの信仰者であり続け、その宗教的アイデンティティを失うことはなかった。歴史上、そのムスリムとしてのアイデンティティが強調されたこともあった。

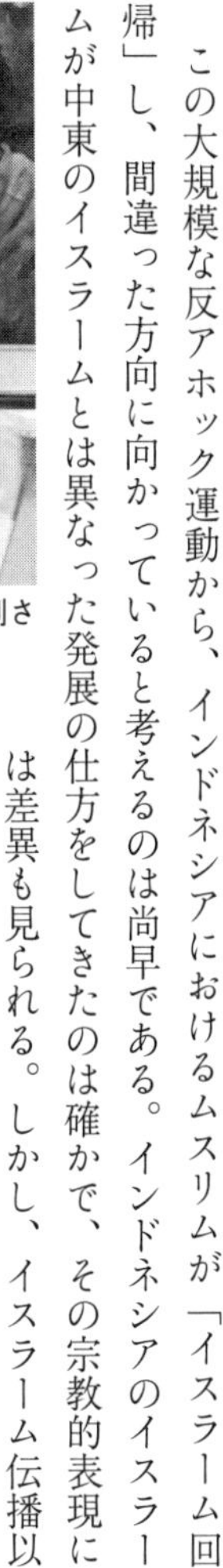

イスラームをめぐる発言によって批判され、実刑判決を受けたアホック

前述のように日本の占領後に起きたイギリスやオランダとの独立戦争において、侵略者に対してNUのウラマがジハードを宣言したことは

その顕著な例だろう。また、オランダ植民地支配時代の反乱ではイスラームが大きな原動力になったことからも、インドネシアのムスリムたちがムスリムとしてのアイデンティティをもっていることがわかるだろう。それらがインドネシアの宗教文化を形成しているといっていい。それは例えば「半改宗」であるとしても、インドネシアにイスラームが根づいていることには変わりがない。留意すべきは、ムスリムのアイデンティティを強くもつことが、必ずしも教条主義的に生きることにはつながらないということなのだ。

†消えないムスリムのアイデンティティ

宗教的アイデンティティは普段の暮らしのなかでことさら意識されることは多くない。むしろ個人の精神世界の問題として宗教を捉える者が多い。こういったムスリムは、厳格な教義の遂行を常に求めるのではなく、これまで述べてきたように「ムスリム社会」の住人として柔軟に教義を解釈し、環境に合わせてイスラームと向き合い、自らが正しくイスラームを信仰しているという自負と自信をもっている。だが、その宗教的アイデンティティを否定されたと感じたときには、極めて感情的、または刹那(せつな)的行動に走ることがある。

その際には、イスラームの共同体意識が強調され、イスラームとそれに対する他宗教という構図が強く意識される。ムスリムにその宗教的アイデンティティが否定されたと感じさせる要因は、いわゆる宗教的理由ばかりではない。社会的、経済的、政治的背景が大きく関係している。

例えば、一九九八年のスハルト政権崩壊時の中華系非ムスリムに対する暴力は、経済的に非ムスリムに搾取されたと感じたムスリムたちの心理的感情に根差している。また、「イスラーム教義と矛盾する」というスローガンを掲げた一九九〇年代初頭のムスリムによる反官製宝くじ運動は、スハルト独裁という政治状況と深く結びついていた。

ムスリムとしてのアイデンティティがないがしろにされたとき、世俗的要因と相まって社会に表出するこれらの宗教的反応は、宗教が人間の行動を合理化する社会的機能をもっていることを示している。反アホック運動に参加した者は、イスラームを冒瀆したという宗教的理由とは別に、裕福な中華系政治家で開発事業において、低所得者層に対して厳しい態度を取る〝強権的な知事〟に対する反発も感じていたということを理解しなければならない。また、同時に何事にも歯に衣着せぬ発言をするアホックに対して、その話法が文化的に受容できない者も多かった。

これらのことを考えると、反アホック運動の盛り上がりがインドネシアのイスラームにおける宗教的寛容性の喪失現象であると考えることが、あまりにも短絡的であることに気づくだろう。反アホック運動に参加した者たちは、他宗教との共存を望まない偏狭なイスラーム至上主義者なわけではない。イスラームに限ったことではないが、明確にいえることは、その宗教の信仰者のアイデンティティを傷つける言動は、社会に安定をもたらさない。この自覚なしには、ムスリムと非ムスリムの共存はあり得ないだろう。にもかかわらず、アホックは、彼らのアイデンティティを傷つける発言をしてしまったということなのだ。

†イスラーム・ヌサンタラ運動

ジョグジャカルタにある国立イスラーム大学の元学長で、著名なイスラーム学者のアミン・アブドゥラは、二〇一八年三月、筆者に「インドネシアのイスラームの寛容性は、失われることなく現在まで維持されている」と語ってくれた。全国各地に設置されている国立イスラーム大学が、偏狭なイスラーム至上主義を教えていないことからもそれは明らかだという。そして、そういった寛容性の維持に大きな役割を果たしているのが、NUやムハマディヤなどの大規模なイスラーム団体だという。

反アホック運動が盛り上がりを見せるなか、この両団体はそれぞれの会員に冷静な対応を促している。また、二〇一八年八月に北スマトラ在住の華僑が、モスクから流れるアザン（祈りの呼びかけ）を騒音だと述べたことで宗教侮辱罪に問われ禁固刑が下されたいわゆるメイリアナ事件では、裁判所の判決を批判し、宗教の寛容性を訴えている。

この両団体は、二〇一五年頃から新たな宗教運動を展開している。ムハマディヤは変化する時代に合わせて発展をする「イスラーム・ブルクマジュアン」(進歩的イスラーム)の必要性を唱えて、イスラームのあり方を探っている。グローバリゼーションやITなどの技術開発を含めて急速に変化を遂げる社会で、ムスリムもまた新たな視座を提示する試みということができる。

一方、NUはこれまで穏健派イスラームを代表する団体として、社会的にも政治的にも大きな役割を果たしてきたが、二〇一五年以降は「イスラーム・ヌサンタラ」(列島のイスラーム)運動を推進している。ここでは、宗教的寛容性という観点からこのイスラーム・ヌサンタラ運動を見ていこう。「ヌサンタラ」とは古代ジャワ語で「列島」を意味する。つまりインドネシアを含めた東南アジアの列島に広まったイスラームを指す言葉だ。NUはこのイスラーム・ヌサンタラこそがイスラームの本質を含有しているとして、その維持と発展の必要性を訴えている。

二〇一五年八月に東ジャワ州で開催されたNUの全国大会では、イスラーム・ヌサンタラをインドネシアのみならず世界へ発信することをそのテーマに掲げた。翌二〇一六年には穏健派イスラーム指導者国際会議(ISOMIL)をジャカルタで開催し、世界三五カ国から三〇〇人の参加を得て、イスラーム・ヌサンタラに関する宣言を発表した。イスラーム・ヌサンタラ運動が極めて穏健で土着文化に寛容であることは疑いがないが、このNU主導のイスラーム運動を教条主義的厳格派イスラームへの対立項としての〝希望〟と捉えることは、先にも述べたイスラームを負と正に分ける二元論的態度を生むことになる。

†イスラーム・ヌサンタラの現実

イスラーム・ヌサンタラ運動では、いくつかの中核的な価値が強調されている。まずイスラームとしての宗教的純粋性だ。これは、インドネシアのイスラームが中東のイスラームとは異なった独自のイスラームであり、宗教的に亜流であるという批判を退けるには大変重要な点だろう。

インドネシアでイスラームを広めたといわれている九人の聖人（ワリ・ソンゴ）と預言者ムハンマドとの系譜を強調することによって、イスラーム・ヌサンタラ、つまり東南アジアにおいて広まった〝インドネシアのイスラーム〟は、イスラーム本来のあり方を堅持していることを示そうとしている。

また、他宗教との共存を志向し、テロリズムに代表される過激思想を否定しているのもイスラーム・ヌサンタラの特徴だ。このことは、いわゆる日本を含めた西側知識人やマスメディア、政府機関によって「正」のイスラームとして歓迎される大きな根拠になっている。加えて、イスラーム・ヌサンタラはスンニー派イスラームに根差した運動であることも宣言されている。

これらのイスラーム・ヌサンタラ運動の中核的概念を見ると、いくつかの課題が浮かび上がってくる。まずこの宗教運動がその本質を見失い政治的ツールとして利用されてしまうのではないかということだ。

これまでも述べてきたように、インドネシアは、多宗教、多文化主義を堅持することを指針とし、また穏健派イスラーム国家として国際社会において積極的に役割を果たすことを戦略的目標にしている。ジョコウィにとって、これらを成功させることは、政権維持のためには大変重要だ。インドネシアの宗教的寛容性が失われ、宗教によって社会が分断された時代の大統領になることをジョコウィは決して望まないだろう。その意味で、インドネシア最大の規模を誇るNUの支持を得ようとすることは、ジョコウィにとって至極当然な政治的判断だともいえる。

実際、ジョコウィは二〇一五年にジャカルタのモスクで開かれた集会で、自らがイスラーム・ヌサンタラの信奉者であること、そしてその価値の重要さを多くのムスリム同胞、つまり有権者たちに宣言している。同時にジョコウィは、かつて独立戦争時にNUが再度の占領を目論むオランダ軍に対してジハードを宣言した一〇月二二日を「ハリ・サントリ」（敬虔なムスリムの日）とする大統領令を発し、自らが穏健なイスラーム・ヌサンタラを信奉するムスリムであるという政治的姿勢を明らかにした。そしてジョコウィは、二〇一九年四月に行われた大統領選挙では副大統領候補にNUの幹部であるマルフ・アミンを据えて再選を果たした。興味深いことに、マルフ・アミンはNUのなかでも保守派で、MUIの幹部としてアホック批判を展開した人物だ。

その一方で、既に述べたようにかつての政治的朋友であるアホックに対する反対運動において中心的な役割を果たし、カリフ制の復活を目標とするヒズブット・タフリール・インドネシア（HTI）を国家の基本理念と相いれないとし、二〇一七年七月にその活動を禁止した。

これにより、ジョコウィはNUをはじめとする穏健派イスラームとの政治的連携に大きく舵を切ったといえる。しかしながら、このことにより、パンチャシラに絶対的価値を置き、寛容性あふれるイスラーム・ヌサンタラを信奉する「正しいムスリム」とそれ以外の「負のムスリム」という対立的構図が強調され、国家が宗教的姿勢によって分断される危険性も生まれている。

ジョコウィは保守派のマルフ・アミンを副大統領にすることによりバランスを取ったが、

イスラーム・ヌサンタラの絶対化は、預言者ムハンマドの時代と違わぬ暮らしを目指す宗教的厳格さを求めるムスリムとの共存の可能性を放棄することにつながっていることもまた事実なのである。

†イスラーム・ヌサンタラの寛容性

イスラーム・ヌサンタラが掲げる大きな価値の一つである寛容性が、平和的な宗教の共存や伝統文化の維持に大きな役割を果たすことは疑いの余地がない。しかし、イスラーム・ヌサンタラにおける寛容性には二つの異なる対象が存在する。まず、宗教儀礼や文化的儀式に対する寛容性、もう一つは宗教を含む社会的少数派に対する寛容性だ。

前者に関していえば、イスラーム・ヌサンタラを推進するNU幹部から一般会員まで全面的な受容を見ることができる。合同でコーランを唱和するタフリールと呼ばれる儀式や、ジアラと呼ばれる先祖への墓参り、豊穣を祈念するスドゥカ・ブミと呼ばれる行事は、NU会員のみならずインドネシアに広く普及している。これらのインドネシアの伝統的儀礼や習慣はイスラームの教えから逸脱したものではなく、維持されるべきとするのがイスラーム・ヌサンタラの基本的な思想である。土着文化とイスラームの共存という意味では、イスラーム・ヌサンタラは大いに寛容であるということができるだろう。

しかし、一方で社会的少数派に対しては、必ずしも寛容的であるとはいえない側面がある。例えば、イスラームにおける少数派グループであるアフマディヤに関しては、NU幹部や会員間でもその見解が分かれており、イスラーム・ヌサンタラはアフマディヤの積極的保護の思想的支柱にはなり得ていない。NUのある若き活動家は、アフマディヤの預言者に関する理解は受け入れがたいとしながらも、アフマディヤの信者らを同じムスリムの同胞として受け入れ、宗教的誤謬を正そうという意識はないという。

その一方でNU幹部の一人は、アフマディヤに対する物理的攻撃や迫害を否定したうえで、アフマディヤの宗教的理解はイスラームから著しく逸脱しており、正しい理解へ導く必要性を強調している。またこれらとは異なり、別のNUの幹部は、アフマディヤを受け入れがたいとする見解を二〇〇五年に既に明らかにしており、NU内部でも意思の統一がはかれていないことがわかる。シーア派に対する態度も平和的共存を目指す共通の意思はあるものの、イスラーム・ヌサンタラがこのイスラーム少数派との連携を積極的に推進する原動力にはなっていないのが現状だ。

†異教への視座

イスラーム・ヌサンタラの寛容性を考えるうえで興味深いのは、イスラームと他宗教との関係だ。イスラームの本来的な考え方では、イスラームはほかのどの宗教よりも優れており、完璧な教えを人間に提示しているとされている。イスラーム・ヌサンタラの推進者たちも、基本的にこの考え方に異存はない。イスラームの他宗教に対する優位性を否定することは、イスラームそのものの否定につながることにもなり、この態度はある意味自然なことだ。

しかし、それを声高にまた明確に表明することを避けている傾向がある。そこには曖昧さが存在する。イスラームと他宗教の関連について、ジャカルタのNU大学で教鞭を執るイスラーム・ヌサンタラ運動の中心メンバーは、「私は自分の女房を妻にした。これが答えだ」との比喩を使ってこの問いに対する答えとした。つまり、自分が相手を選び結婚したということは、その人のことを最も素晴らしいと考えているからであって、それをあえて説明する必要はないというのだ。宗教も同じで、彼がムスリムであるということは、イスラームを最善の宗教と考えていることを示している。

こういった態度は、ウリル・アブシャー・アブダラが、すべての宗教は平等であり優劣はない、とする態度とは一線を画している。イスラーム・ヌサンタラがこういった神学的論争を避けていることは、ウリルが「あまりに自由すぎて、過激だ」として世間の批判を浴びたことを考えるとうなずける。

また、インドネシア国内で大きな問題となっている、社会的少数派であるＬＧＢＴに対しても、イスラーム・ヌサンタラ運動において、積極的に保護するという姿勢を見出すことはできない。ＮＵ幹部でイスラーム・ヌサンタラ運動の中心メンバーの一人は、ＬＧＢＴに対する不当な差別や迫害を戒めたうえで、彼らはイスラームからの逸脱者であり、その間違った性的傾向を正す必要性を認めている。「ＬＧＢＴは宗教的に誤った迷える哀れなムスリムである」というのがイスラーム・ヌサンタラの基本的認識だ。これに抗するのはごくわずかな若手活動家のみで、彼らはＮＵのなかでも極めて少数派である。しかし、こういった寛容の〝重層性〟が存在するとしても自由主義イスラームのウリルは「現状では、これが精一杯の妥協点」としてイスラーム・ヌサンタラ運動を積極的に評価している。

イスラーム・ヌサンタラが偏狭的なイスラームを戒め、インドネシア社会の宗教的多様性を維持するためにある一定の役割を果たすことは確かだとしても、反アホック運動に対抗するようにイスラーム・ヌサンタラが寛容性の唯一絶対的な庇護者であるとする風潮は、社会に分断を招く危険性を常に秘めている。それは同時に、インドネシアにおけるイスラームが寛容性を失うことにもつながるだろう。

†暮らしのなかの寛容性

イスラーム・ヌサンタラ運動を含め、イスラームの寛容性を強調し人々を啓蒙することは、インドネシアのような多文化社会において大変重要だ。イスラームが他宗教、社会的少数派と神学的にどのように折り合いをつけるのかは、今後もウラマや知識人の間で議論が進んでいくだろう。しかし、イスラームが伝播して数百年経つインドネシア社会において、市井の人々の暮らしに寛容性はあるのだろうか。もちろんその指標は様々で一概に判断することはできない。しかしながら、インドネシア社会を注意深く見ると明らかになることがある。

例えば、インドネシアは地震、火山の噴火、洪水など自然災害が多い国だが、その際の地域社会のあり方だ。インフラの不整備や行政機関の不効率などにより、住民への公的援助活動が遅れたり、いき届かない場合がある。しかし、インドネシアでは公的な援助よりも先に機能するのは、地域住民同士の「助け合い」だ。

第2章でも触れたがゴトンロヨンの実践が迅速に行われる。その際に基本となるのは、「強い者が弱い者を、持てる者が持たざる者を助ける」というイスラームの精神で、それらを言葉として強調することなく自然に実践している。ジャカルタのような大都会でも、洪水で浸水した家に、その地域の最も裕福な者が無償で寝具や食料を提供することが当たり前だ。インドネシアでは富裕層のための住宅コンプレックスが多く存在するが、災害が起こると生活必需品や食料を入れた小袋を準備し、コンプレックスの外の被災住民に配ることも頻繁に耳にする。

こうした援助活動は、ムスリム同士に限られたことではない。多数派のムスリムは、その地域の異教徒の住民を差別することなく等しく扱う。日本でも「困ったときはお互いさま」という言葉があるが、インドネシアでは自らの相互扶助の態度をことさら言葉で強調することはない。ただ、彼らが頻繁に口にするのは、「同じ人間」(sesama manusia)という言葉だ。こういった社会的態度は、ムスリムとして審判の日に現世での行いが判断の基準となるというイスラームの教えに大いに影響されているだろう。ただ、イスラーム伝播以前の古代王国の時代から、異なる者が共存してきた歴史的な事実も決して無関係ではないことも指摘したい。

†豊かなソーシャルキャピタル

日本では近代化が進み、地域社会のつながりが薄れつつあるといわれて久しい。しかし、その一方で、災害時には地域住民の助け合いも行われている。東日本大震災後には、

「絆」という言葉で強調されたように、人々のつながりの重要さが見直された。こういった人と人の関係、つながりをソーシャルキャピタルと呼ぶが、自然資源や人的資源などと違い災害のような非日常の何かが起こらない限り、日本人は具体的にイメージしたり、意識したりすることは少ないのではないか。

二〇二〇年から世界は新型コロナウイルス感染拡大により、様々な困難に直面した。インドネシアも例外ではない。仕事を失った者が、その日の食事にも事欠くという事態も発生した。

食料の無料配布を知らせるチラシ

しかしながら、そういったときにインドネシアでは無料で食料を調達できる非正規のメカニズムがあった。行政組織とはまったく関わりがないイスラームの礼拝施設であるモスクにおける食事や食料の提供だ。モスクの前に食料を吊り下げて、それを必要とする者がもち帰る。また、SNSでモスクの場所や連絡先を公開し、経済的に苦しい者に無償で食事を提供する。これらは、ムスリムに限定された助け合いではない。どの宗教の信者であっても、その恩恵を得ることができる。こうしたことからも、インドネシアには大変豊かなソーシャルキャピタルが存在することがわかる。

筆者自身も、コロナ禍の影響でインドネシアへの渡航が制限され、直接聞き取りや観察ができなくなった。それでも、現地のインドネシア人の友人と電話でお互いの国の状況を伝え合うことがある。日本のいわゆる「自粛警察」などは、彼らには理解できないようだった。先に述べた「助け合い」も「異なった人がいる」ということもインドネシア人にとっては当たり前のことなのだ。その意味で、豊かなソーシャルキャピタルがインドネシアには存在していることがわかる。そして、その構築にイスラームそして多文化性が強く影響していることは明らかだろう。

あとがき

投資を計画している企業や、休暇をビーチリゾートで過ごそうと考えている人にとっては、インドネシアはよく知られた国かもしれないが、一般的に日本人がよく知っている国とはいえないだろう。インドネシアは、広大な国土に豊かな自然資源をもち、人口が多く、ムスリムの数も一国として世界で最多だ、そして経済成長も著しい。これらのことを考えると、インドネシアは今後、国際社会においてもその重要さは増していくだろうし、日本との二国間関係もこれまで以上に緊密になるだろう。

日本人はインドネシアという国をもっと知ってもいいのではないか、と思うことがこれまでに多々あった。残念なことだが、経済的規模が日本よりも小さく、科学技術が未発達で社会のインフラが整っていない、日本よりも劣っている国、という認識をもっている日本人も少なからずいるのではないだろうか。もちろん、それは当たっている点もあるのだが、だからといって、日本人が学ぶことができる価値が、インドネシアにはまったくないとはいいきれない、むしろその逆だと常日頃から感じていた。

　インドネシア社会についてイスラームを軸に考え直してみたい、と思ったのが本書を書く動機となった。これまでインドネシアに合計八年間暮らし、多くの知己を得た。調査活動を通じて、インドネシアの国の方向を決めるような政治家やムスリム指導者、そして路上で屋台を引く労働者や乗り合いバスに揺られる乗客、様々なインドネシア人と対話をすることができた。本書は、そうした彼らとのやり取りが土台になっている。

「インドネシアがお好きなんでしょう?」とよく聞かれることがある。しかし、「好き」という言葉だけではいい表せない複雑さをこの国はもっている。二〇〇九年にインドネシアから帰国してかなりの年月が経つが、今抱く気持ちはインドネシア語でkangen、英語でいうとmissing、つまり「懐かしく感じ、インドネシアに行きたい、インドネシア人に会いたい」と思うのだ。インドネシアには好き嫌いという感情を超えて、人を惹きつける何かがあるような気がする。その「何か」には文明の重層性やイスラームの広がり、多文化・多民族性が大いに関係していると思う。本書がそれらの探求のヒントになればと心から願っている。

　いうまでもなく、インドネシアには数多くの問題がある。また、インドネシア人がすべて相互扶助の精神にあふれ、豊かな寛容性の持ち主であるということはないだろう。しかしながら、インドネシアでは微笑んでいる人が多いのである。さらに、自分よりも年上の誰かがバスや電車に乗ってくると、何の躊躇もなく自然に席を譲る若者が多いことを思い出す。これらが意味することを考える必要があるのではないだろうか。そして、イスラームをはじめ、「インドネシア的価値」が豊かなソーシャルキャピタルの創出に貢献し、人々の行動とインドネシアのあり方そのものに影響を与えているのは間違いないだろう。

専門家でない方にも抵抗なく読んでいただけるように、本文中、直接的に引用した箇所や特に重要な項目を除いて、出典を逐一明示しなかった。また、歴史的な事実や一般的に知られている事柄、報道などからの情報も脚註を省略した。文献はすべて巻末に掲載したので参考にしていただければ幸いである。

筑摩書房新書編集部の松田健編集長には大変お世話になった。また編集部の山本拓さんにもお力添えをいただいた。お二方がいなければ本書は実現しなかった。この場を借りてお礼を申し上げたい。

加藤久典

参考文献

【日本語文献】
池内恵『イスラーム国の衝撃』文春新書、2015年
——『サイクス＝ピコ協定——百年の呪縛』新潮社、2016年
伊東照司「ボロブドール巡礼」伊東照司他『ボロブドール遺跡めぐり』新潮社、1992年
井上順孝、大塚和夫（編）『ファンダメンタリズムとは何か——世俗主義への挑戦』新曜社、1994年
岩崎育夫『入門東南アジア近現代史』講談社現代新書、2017年
大塚和夫『イスラーム主義とは何か』岩波新書、2004年
——『異文化としてのイスラーム——社会人類学的視点から』同文舘出版、1989年
——「ファンダメンタリズムとイスラーム」井上順孝、大塚和夫（編）『ファンダメンタリズムとは何か——世俗主義への挑戦』新曜社、1994年
大塚和夫ほか（編）『岩波イスラーム辞典』岩波書店、2002年
小川忠『インドネシア——イスラーム大国の変貌』新潮選書、2016年
片倉もとこ『イスラームの日常世界』岩波書店、1991年
加藤久典「歴史の狭間とイスラム——インドネシア総選挙とムスリム」『世界』第667号、岩波書店、1999年
——「ムスリムの新たな挑戦——インドネシア大統領と来世紀の政治家たち」『世界』第676号、岩波書店、2000年
——「対峙するグローバル文明とローカル文明」梅棹忠夫監修『地球時代の文明学２』京都通信社、2011年
——「「進歩」への問い——ローカルなジャワ文明の思想と人類の未来」『文明の未来——いま、あらためて比較文明学の視点から』東海大学出版部、2014年

――「インドネシアにおける多様なイスラーム」『比較思想研究』第43号、2016年
――「イスラームと他宗教の共存」『比較思想研究』第44号、2017年
河部利夫『世界の歴史18――東南アジア』河出文庫、1990年
川村晃一「インドネシアと選挙・投票行動研究――アリラン・ポリティックスをめぐる論争の展開」近藤則夫（編）『アジア開発途上諸国における選挙と民主主義』日本貿易振興機構アジア経済研究所、2007年
国枝昌樹『イスラム国の正体』朝日新書、2015年
倉沢愛子『ジャカルタ路地裏フィールドノート』中央公論新社、2001年
小杉泰『9・11以後のイスラーム政治』岩波現代全書、2014年
小林道憲『近代主義を超えて』原書房、1988年
小林寧子「変容するナフダトゥル・ウラマーの二重指導体制――ウラマーの権威と指導力の乖離」『アジア経済』第55巻第3号、日本貿易振興機構アジア経済研究所、2014年
佐藤百合『経済大国インドネシア――21世紀の成長条件』中公新書、2011年
染谷臣道「ボロブドゥールに還流思想を見る」『比較文明研究』第18号、2013年
店田廣文「世界と日本のムスリム人口2011年」『人間科学研究』第26巻　第1号、2013年
ナイポール、V・S（斎藤兆史訳）『イスラム再訪　上』岩波書店、2001年
永井重信『インドネシア現代政治史』勁草書房、1986年
永積昭『インドネシア民族意識の形成』東京大学出版会、1980年
中村光男「東南アジアにおけるイスラームと市民社会」片倉もとこ・梅村坦・清水芳見（編）『イスラーム世界』岩波書店、2004年
ナポリオーニ、ロレッタ（村井章子訳）『イスラム国――テロリス

トが国家をつくる時』文藝春秋、2015年
ナンダ、セレナ（蔦森樹、カマル・シン訳）『ヒジュラ――男でも女でもなく』青土社、1999年
野中葉『インドネシアのムスリムファッション――なぜイスラームの女性たちのヴェールはカラフルになったのか』福村出版、2015年
ハルジョウィロゴ、マルバングン（染谷臣道、宮崎恒二訳）『ジャワ人の思考様式』めこん、1992年
福岡まどか『性を超えるダンサー――ディディ・ニニ・トウォ』めこん、2014年
プラムディヤ・アナンタ・トゥール（押川典昭訳）『ガラスの家』めこん、2007年
ベイ、アリフィン（奥源造編訳）『インドネシアのこころ』めこん、1975年
本名純『民主化のパラドックス――インドネシアにみるアジア政治の深層』岩波書店、2013年
増原綾子「インドネシア・スハルト体制下の議会とコンセンサス形成」『アジア経済』第54巻第4号「スハルト体制下における与党ゴルカルの変容とインドネシアの政治変動――翼賛型個人支配とその政治的移行」東京大学大学院総合文化研究科国際社会科学国際関係論専攻博士論文、日本貿易振興機構アジア経済研究所、2013年
見市建『インドネシア――イスラーム主義のゆくえ』平凡社、2004年
――「庶民派大統領ジョコ・ウィドドの「強権」」外山文子ほか（編）『21世紀東南アジアの強権政治――「ストロングマン」時代の到来』明石書店、2018年
三木卓『三木卓詩集』思潮社、1971年
水本達也『インドネシア――多民族国家という宿命』中公新書、2006年
村井吉敬ほか『スハルト・ファミリーの蓄財』コモンズ、1999年

―― 『現代インドネシアを知るための60章』明石書店、2013年
山内昌之（編）『「イスラム原理主義」とは何か』岩波書店、1996年
―― 「いま、なぜ「イスラム原理主義」なのか」山内昌之（編）『イスラム原理主義とは何か』岩波書店、1996年
『広辞苑第七版』岩波書店、2018年
『コーラン』（藤本勝次ほか訳）中央公論社、1970年

【英語・インドネシア語文献】

Abdalla, Abshar, Ulil. "Menyegarkan Kembali Pemahaman Islam", in *Kompas* 18 November, 2002.
An-Na'im, A. Ahmed. *Toward an Islamic Reformation.* New York: Syracuse University Press, 1996.
Aspinall, Edward. *Opposing Suharto: Compromise, Resistance, and Regime Change in Indonesia.* Stanford: Stanford University Press, 2005.
Azra, Azyumardi. "Jaringan Ulama Nusantara", A.Sahal and M. Aziz (eds.), *Islam Nusantara.* Bandung: Mizan, 2015, pp.169–173.
Bachelard, Gaston. *On Poetic Imagination and Reverie.* Putnam: Spring Publications, 2005.
Baidhawy, Zakiyuddin. "The Concept of Jihad and Mujahid of Peace", in Kato, H. (ed.), *The Clash of Ijtihad: Fundamentalist versus Liberal Muslims.* New Delhi: ISPCK, 2011, pp.40–57.
Barton, G., Fealy, G. (eds.), *Nahdlatul Ulama, Traditional Islam and Modernity in Indonesia.* Clayton: Monash Asia Institute, 1996.
――. Abdurrahman Wahid. Honolulu: University of Hawai'i Press, 2002.
Baso, Ahmad. *The Intellectual Origins of Islam Nusantara.* Jakarta: Pustaka Afid Jakarta, 2017.
Bergen, Peter L. *Holy War, Inc.*. New York: Simon & Schuster, 2002.
Braudel, Fernand. *A History of Civilizations.* New York: Penguin Books, 1995.

Bresnan, John. *Managing Indonesia: The Modern Political Economy.* New York: Columbia University Press, 1993.
Chehabi, H. E. and Linz, Juan J. *Sultanistic Regimes.* Baltimore: Johns Hopkins University Press, 1998.
Cribb, R., Brown. C. *Modern Indonesia: A History Since 1945.* London: Longman, 1995.
Darojat, Zakiya. “Rational Jihad: Measuring Rationality of Jihad Resolution”. *Advances in Social Science.* Education and Humanities Research, Vol.154, 2018, pp.16–19.
Davies, Sharyn, Graham. *Gender Diversity in Indonesia: Sexuality, Islam and queer slaves.* New York: Routledge, 2010.
Eklöf, Stefan. *Indonesian Politics in Crisis: The Long Fall of Suharto, 1996-98.* Copenhagen: Nordic Institute of Asian Studies, 1999.
Elson, R. E. *Suharto.* New York: Cambridge University Press, 2001.
Ewans, Martin. *Afghanistan: A New History.* Richmond: Curzon, 2001.
Feillard, Andrée. “Traditionalist Islam and the Army in Indonesia's New Order: The Awkward Relationship”, in Barton, G. and Fealy, G. (eds.), *Nahdlatul Ulama, Traditional Islam and Modernity in Indonesia.* Clayton: Monash Asia Institute, 1996, pp.42–67.
Fionna, Ulla. “Manipulating “Diversity”: Campaign against Ahok Threatens Democracy”, *Perspective,* Issue No.6, 2–17.
Geertz, Clifford. *Islam Observed.* London: University of Chicago Press, 1971.
——. *The Religion of Java.* Chicago: University of Chicago Press, 1976.
Gerges, A. Fawaz. *ISIS: A History.* Princeton: Princeton University Press, 2016.
Gerth, H.H. and Mills, C.W. (eds.), *From Max Weber: Essays in Sociology.* London: Routledge, 1991.
Ghannouchi, Rachid. “Participation in Non-Islamic Government”. in Kurzman, C. (ed.), *Liberal Islam.* New York: Oxford University

Press, 1998, pp.89-95.

Hasani, Ismail and Naipospos, B.T. (eds.), *From Radicalism to Terrorism.* Jakarta: Pustaka Masyarakat Setara, 2012.

Hasyim, Syafiq. *Islam Nusantara Dalam Konteks.* Yogyakarta: Gading, 2018.

Huntington, Samuel P. *The Clash of Civilizations and the Remaking of World Order.* New York: Simon & Schuster, 1996.

Ichwan, Moch Nur. *The Making of a Pancasila State: Political Debates on Secularism, Islam and the State in Indonesia.* SOIAS Research Paper Series 6. Tokyo: SOIAS, 2012.

Ihsan, Soffa. "Homosexuality in Islam: Coming out of the Dark". in Kato, H. (ed.), *The Clash of Ijtihad: Fundamentalist versus Liberal Muslims.* New Delhi: ISPCK, 2011, pp.91–108.

Jama, Afdhere. *Queer Jihad.* Redwood Shores: Oracle Releasing Book, 2013.

Kato, Hisanori. *Agama dan Peradaban.* Jakarta: PT Dian Rakyat, 2002.

——. "Confrontations between Global and Local Civilizations: Nuclear Power Plant and Local Protest". *Comparative Civilizations Review No. 63,* 2010, pp.37–59.

——. (ed.), *The Clash of Ijtihad: Fundamentalist versus Liberal Muslims.* New Delhi: ISPCK, 2011.

——. "Social Demand and the Clash of Ijtihad: A Constructionist Approach to Current Islamic Movements in Indonesia", in *The Clash of Ijtihad: Fundamentalist versus Liberal Muslims.* Kato. H. (ed.), New Delhi: ISPCK, 2011, pp.xi-xxxvi.

——. "Local Civilization and Political Decency: Equilibrium and the Position of the Sultanate in Java". *Comparative Civilizations Review No 66,* 2012, pp. 45–57.

——. *Kangen Indonesia.* Jakarta: Buku Kompas, 2012.

——. *Islam di Mata Orang Jepang.* Jakarta: Penerbit Buku Kompas,

2014
——. “Islamic Capitalism: The Muslim Approach to Economic Activities in Indonesia”. *Comparative Civilizations Review No.71*, 2014, pp.90–105.

——. “Islamic Fundamentalists’ Approach to Multiculturalism: The Case of Al-Mukmin School in Indonesia”. *Dialogue and Universalism* Vol. XXIV, 4 / 2014, pp.171-186.

——. “Philanthropic Aspects of Islam: The Case of the Fundamentalist Movement in Indonesia”. *Comparative Civilizations Review No. 74,* 2016, pp.101–114.

——. “The Challenge to Religious Tolerance: Fundamentalist Resistance to a Non-Muslim Leader in Indonesia”. *Comparative Civilizations Review No. 77,* 2017, pp.77–89.

——. “Sexual Minorities in Indonesia: The Clash between Muslim Fundamentalists and Liberals”. *Dialogue and Universalism Vol. XXVII,* 1/2017, pp.103–115.

——. “Religion and Locality: The Case of the Islam Nusantara Movement in Indonesia”, *Fieldwork in Religion* 13/2 2018, pp.151–168.

Kasus “Mbah Priok”: *Studi Bayani-Wa-Tahqiq Terhadap Masalah Makam Eks TPU Dobo.* Jakarta: Madani Institute, 2010.

Kayane, Yuka. “Who are the “Conservatives”? The Rise of Anti-Pluralist Dissidents in Nahdlatul Ulama, The official website of Middle East Institute.

Kersten, Carool. *Islam in Indonesia: The Contest for Society, Ideas and Values.* London: Hurst & Company, 2015.

Kugle, Scott Siraj al-Haqq. *Homosexuality in Islam.* London: Oneworld Book, 2010.

Kurzman, Charles（ed.）, *Liberal Islam.* New York: Oxford University Press, 1998.

Laffan, Michael. *The Makings of Indonesian Islam.* Princeton: Princeton University Press, 2011.

Legge, John David. *Indonesia,* Englewood Cliffs: Prentice-Hall, 1964.

Liddle. R. William. *Leadership and Culture in Indonesian Politics.* Sydney: Allen & Unwin, 1996.

Makka, Andi Makmur. *Rumpa'na Bone.* Jakarta: Penerbit Buku Kompas, 2015.

Maqom Keramat, Wali Alllah. *Situs Sejarah Tanug Priuk/Pondok Dayung.* Jakarta, publishing year unknown.

Marijan, Kacung. "NU's Response to the New Order's Political Development". *The Indonesian Quarterly Vol.XX, No.1,* 1st Quarter, 1992, pp.46–62.

Menchik, Jeremy. *Islam and Democracy in Indonesia.* Cambridge: Cambridge University Press, 2016.

Milton-Edwards, Beverley. *Islamic Fundamentalism Since 1945.* New York: Routledge, 2005.

Mody, Nawaz B. *Indonesia under Suharto.* New York: Apt Books Inc., 1987.

Munir, Lily, Zakiyah. "Islam Humanity, and the Equality for Women", in Kato, H.（ed.）, *The Clash of Ijtihad: Fundamentalist versus Liberal Muslims.* New Delhi, 2011, pp.19–34.

Nakamura, Mitsuo. "The Radical Traditionalism of the Nahdlatul Ulama in Indonesia: A Personal Account of the 26th National Congress, June 1979, Semarang", in Barton, G., Fealy, G.（eds.）, *Nahdlatul Ulama, Traditional Islam and Modernity in Indonesia.* Clayton: Monash Asia Institute, 1996, pp.67–93.

Nakane, Yuka. "Who are the "Convervatives" ? The Rise of Anti-Pluralist Dissidents in Nahdulatul Ulama（NU）", Middle East Institute, 2008.

Nuraniyah, Nava. "The Islamist Agenda in Indonesia, Institute for Policy Analysis of Conflict（IPAC）", *IPAC Report,* No.44, 2018.

Oey, Hong, Lee（ed.）, *Indonesia After the 1971 Elections.* London: Oxford University Press, 1974.

——. "Indonesian Freedom of the Press and the 1971 Elections", in Oey H.L. (ed.), *Indonesia After the 1971 Elections.* London: Oxford University Press, 1974, pp.23–36.

Parkin, David and Headley, Stephen C. (eds.), *Islamic Prayer Across the Indian Ocean.* Richmond: Curzon, 2000.

Peacock, James L. *Rites of Modernization*. Chicago: University of Chicago Press, 1968.

Radcliffe-Brown, A.R. *Structure and Function in Primitive Society.* New York: Free Press, 1965.

Ricklefs, M.C. *A History of Modern Indonesia Since c.1300.* London: Macmillan Press, 1991.

——. *Islamisation and Its Opponents in Java: A Political, Social, Cultural and Religious History, c.1930 to the Present.* Honolulu: University of Hawai'i Press, 2012.

Roosa, John. *Pretext for Mass Murder*. London: University of Wisconsin Press, 2006.

Roy, Olivier. *Globalised Islam: The Search for a New Ummah.* London: C. Hurst & Co Publishers, 2004.

Safri, Arif Nuh. "Pesantren Waria Senin-Kamis Al-Fatah Yogyakarta: Sebuah Media Eksistensi Ekspresi Keberagamaan Waria". *Esensia Vol.15, No.12,* 2014, pp.251–269.

Sahal, A. and Aziz, M. (eds.), *Islam Nusantara.* Bandung: Mizan, 2015.

Schwarz, Adam. *A Nation in Waiting: Indonesia in the 1990s.* St Leonards. NSW: Allen& Unwin, 1994.

Siregar, Bismar. "Islam and Pancasila: The Message of a Former Judge", in Kato, H. (ed.), *The Clash of Ijtihad: Fundamentalist versus Liberal Muslims*. New Delhi: ISPCK, 2011. pp.182–194.

The Encyclopaedia of Eastern Philosophy and Religion, Boston: Shambhala, 1989.

The Oxford Encyclopaedia of the Modern Islamic World. Oxford:

Oxford University Press, 1995.
Vatikiotis, Michael R. J., *Indonesian Politics under Suharto.* New York: Routledge, 1993.
Wahid, Abdurrahman. "Pribumisasi Islam", in Sahal, A. and Aziz, M. (eds.), *Islam Nusantara.* Bandung: Mizan, 2015, pp.274–277.
Weber, Max. "The Social Psychology of the World Religions", in H.H. Gerth and C.W. Mills (eds.), *From Max Weber: Essays in Sociology,* London: Routledge, 1991.
Woodward, Mark. *Java, Indonesia and Islam.* Dordrecht: Springer, 2011.
Zon, Fadli. *The Politics of the May 1998 Riots.* Jakarta: Solstice Publishing, 2004.

【Periodicals/Websites】
Asia Week, 14 December, 1984.
Asia Week, 29 May, 1998.
INIS Newsletter, Vol. XI. Jakarta, 1995.
International Herald Tribune, 31 December 2002-1 January, 2003.
Inside Indonesia, No. 38, March, 1994.
Jakarta Post, 5 August, 2014.
Jakarta Post, 15 January, 2015.
Jakarta Post, 1 April, 2015.
Jakarta Post, 2 December, 2016.
Republika, 9 January, 1997.
Serial Media Dakwah, September, 1992.
Surara Merdeka, 19 June, 1998.
"A Friend of Israel in the Islamic World": https://www.haaretz.com/1.4751284
"Ahmadiyah Sesat Karena Anggap Ada Nabi Setelah Muhammad": http://www.nu.or.id/post/read/3287/ahmadiyah-sesat-karena-anggap-ada-nabi-setelah-muhammad

"Anti-Ahok rally ends peacefully": https://www.thejakartapost.com/news/2016/12/02/anti-ahok-rally-ends-peacefully.html

"FATWA MAJELIS ULAMA INDONESIA Nomor 57 Tahun 2014 Tentang LESBIAN, GAY, SODOMI, DAN PENCABULA": https://lampung.kemenag.go.id/files/lampung/file/file/MUI/xdob1460683589.pdf#search = %27MUI+Fatwa+Indonesia+terhadap+LGPT+2014%27

"Hari Santri Nasional, Mengembalikan Sejarah Bangsa": http://www.nu.or.id/post/read/72206/hari-santri-nasional-mengembalikan-sejarah-bangsa

"Jokowi inaugurates chief, advisors of Pancasila working unit": https://www.thejakartapost.com/news/2017/06/07/jokowi-inaugurates-chief-advisors-of-pancasila-working-unit.html

"Kewarganegaraan Suku Bangsa Agama dan Bahasa Sehari-hari Penduduk Indonesia: Badan Pusat Statistik": bps.go.id

"Meiliana verdict demonstrates blasphemy law's 'injustice toward moniroties'": https://www.thejakartapost.com/news/2018/08/22/meiliana-verdict-demonstrates-blasphemy-laws-injustice-toward-minorities.html

"MUI Kaji Fatwa Bank Organ Tubuh Manusia": https://nasional.kontan.co.id/news/mui-kaji-fatwa-bank-organ-tubuh-manusia-1

"Sejarah Hari Santri Nasional 2020, Diperingati Setiap Tanggal 22 Oktober": detik.com

"The Quiet Growth in Indonesia-Israel Relations": https://thediplomat.com/2015/03/the-quiet-growth-in-indonesia-israel-relations/

"Transplantasi organ dan transfusi darah menurut pandangan islam": https://www.slideshare.net/khoirulzed/transplantasi-organ-dan-transfusi-darah-menurut-pandangan-islam-copy

「医療国際展開カントリーポート「新興国等のヘルスケア市場環境に関する基本情報　インドネシア編」」: http://www.meti.go.jp/policy/mono_info_service/healthcare/iryou/downloadfiles/pdf/

countryreport_Indonesia.pdf#search = %27%E3%82%B8%E3%82%A7%E3%83%88%E3%83%AD+%E3%82%A4%E3%83%B3%E3%83%89%E3%83%8D%E3%82%B7%E3%82%A2+%E4%B8%AD%E9%96%93%E5%B1%A4+%E6%8E%A8%E7%A7%BB%27
「インドネシア総選挙確定」: https://www.mofa.go.jp/mofaj/area/indonesia/99/kekka.html
「北大生、8月も渡航計画「イスラム国」事件　トラブルで中止」: https://www.nikkei.com/article/DGKDASDG07H08_X01C14A0CC0000/

ちくま新書
1595

インドネシア
――世界最大のイスラームの国

二〇二一年八月一〇日　第一刷発行

著者　加藤久典（かとう・ひさのり）

発行者　喜入冬子

発行所　株式会社　筑摩書房
東京都台東区蔵前二-五-三　郵便番号一一一-八七五五
電話番号〇三-五六八七-二六〇一（代表）

装幀者　間村俊一

印刷・製本　三松堂印刷　株式会社

ISBN978-4-480-07417-1 C0236

ちくま新書

1459
女のキリスト教史
――「もう一つのフェミニズム」の系譜
竹下節子
キリスト教は女性をどのように眼差してきたのか。聖母マリア、ジャンヌ・ダルク、マザー・テレサ……、世界を動かした女性たちの差別と崇敬の歴史を読み解く。

1481
芸術人類学講義
鶴岡真弓編
人類は神とともに生きることを選んだ時、「創造する種」として歩み始めた。詩学、色彩、装飾、祝祭、美術の観点から芸術の根源を問い、新しい学問を眺望する。

1487
四国遍路の世界
愛媛大学四国遍路・世界の巡礼研究センター編
近年ブームとなっている四国遍路。四国八十八ヶ所霊場の成立など歴史や現在の様相、海外の巡礼との比較など、さまざまな視点から読みとく最新研究15講。

1527
新宗教を問う
――近代日本人と救いの信仰
島薗進
創価学会、霊友会、大本、立正佼成会――。なぜ日本では新宗教がかくも大きな存在になったのか。現代の救済のかたちを問う、第一人者による精神文化研究の集大成。

1460
世界哲学史1
――古代Ⅰ　知恵から愛知へ
［責任編集］伊藤邦武／山内志朗
中島隆博／納富信留
人類は文明の始まりに世界と魂をどう考えたのか。古代オリエント、旧約聖書世界、ギリシアから、中国、インドまで、世界哲学が立ち現れた場に多角的に迫る。

1461
世界哲学史2
――古代Ⅱ　世界哲学の成立と展開
［責任編集］伊藤邦武／山内志朗
中島隆博／納富信留
キリスト教、仏教、儒教、ゾロアスター教、マニ教などの宗教的思考について哲学史の観点から領域横断的に検討。「善悪と超越」をテーマに、宗教的思索の起源に迫る。

1462
世界哲学史3
――中世Ⅰ　超越と普遍に向けて
［責任編集］伊藤邦武／山内志朗
中島隆博／納富信留
七世紀から一二世紀まで、ヨーロッパ、ビザンツ、イスラーム世界、中国やインド、そして日本の多様な形而上学の発展を、相互の豊かな関わりのなかで論じていく。

ちくま新書

1277 消費大陸アジア ——巨大市場を読みとく　川端基夫

中国、台湾、タイ、インドネシア……いま盛り上がるアジア各国の市場や消費者の特徴・ポイントを豊富な実例で解説する。成功する商品・企業は何が違うのか？

085 日本人はなぜ無宗教なのか　阿満利麿

日本人には神仏とともに生きた長い伝統がある。それなのになぜ現代人は無宗教を標榜し、特定宗派を怖れるのだろうか？　あらためて宗教の意味を問いなおす。

1272 入門　ユダヤ思想　合田正人

世界中に散りつつ一つの「民族」の名のもとに存続するユダヤ。居場所とアイデンティティを探求するその英知とは？　起源・異境・言語等、キーワードで核心に迫る。

1325 神道・儒教・仏教 ——江戸思想史のなかの三教　森和也

江戸の思想を支配していた神道・儒教・仏教にこそ、現代人の思考の原風景がある。これら三教が交錯しつつ形作っていた豊かな思想の世界を丹念に読み解く野心作。

1343 日本思想史の名著30　苅部直

古事記から日本国憲法、丸山眞男『忠誠と反逆』まで、日本思想史上の代表的名著30冊を選りすぐり徹底解説。人間や社会をめぐる、この国の思考を明らかにする。

1348 現代語訳 老子　保立道久訳・解説

古代中国の古典「老子」。二千年以上も読み継がれてきたそのテキストを明快な現代語に解きほぐし、老子像を刷新。また、日本の神話と神道の原型を発見する。

1388 京都思想逍遥　小倉紀蔵

古都をめぐり古今の思考の足跡を辿る京都思想案内。源氏物語に始まり、道元、世阿弥、頼山陽、鈴木大拙、三島由紀夫に至る様々な言葉と交錯し、その魂と交響する。

ちくま新書

1544 世界がわかる比較思想史入門 中村隆文
ギリシア・ローマから、インド、中国、日本の思想、さらにはポストモダンや現代正義論まで、比較思想史の観点から古今東西の思想を一望する画期的な試み。

1565 歴史認識 日韓の溝 ――分かり合えないのはなぜか 渡辺延志
日本人が当事者でありながら忘れ去った朝鮮の民衆の苦難の歴史。その真相を新たな研究成果や資料をもとに探りつつ、日韓歴史認識の溝を埋める可能性を考察する。

1287-1 人類5000年史Ⅰ ――紀元前の世界 出口治明
人類五〇〇〇年の歩みを通読する、新シリーズの第一巻、ついに刊行！ 文字の誕生から知の爆発の時代まで紀元前三〇〇〇年の歴史をダイナミックに見通す。

1287-2 人類5000年史Ⅱ ――紀元元年～1000年 出口治明
人類史を一気に見通すシリーズの第二巻。漢とローマ二大帝国の衰退、世界三大宗教の誕生、陸と海のシルクロード時代の幕開け等、激動の1000年が展開される。

1287-3 人類5000年史Ⅲ ――1001年～1500年 出口治明
十字軍の遠征、宋とモンゴル帝国の繁栄など人や物の交流が盛んになるが、気候不順、ペスト流行にも見舞われる。ルネサンスも勃興し、人類は激動の時代を迎える。

1377 ヨーロッパ近代史 君塚直隆
なぜヨーロッパは世界を席巻することができたのか。「宗教と科学の相剋」という視点から、ルネサンスに始まり第一次世界大戦に終わる激動の五〇〇年を一望する。

1400 ヨーロッパ現代史 松尾秀哉
第二次大戦後の和解の時代が終焉し、大国の時代が復活し、危機にあるヨーロッパ。その現代史の全貌を、国際関係のみならず各国の内政との関わりからも描き出す。

ちくま新書

1539
アメリカ黒人史
——奴隷制からＢＬＭまで
ジェームス・Ｍ・バーダマン
森本豊富訳
奴隷制の始まりからブラック・ライヴズ・マターが再燃する今日まで、人種差別はなくなっていない。アメリカ黒人の歴史をまとめた名著を改題・大改訂して刊行。

1550
ヨーロッパ冷戦史
山本健
ヨーロッパはなぜ東西陣営に分断され、緊張緩和の後は一挙に統合へと向かったのか。経済、軍事的側面にも注目しつつ、最新研究に基づき国際政治力学を分析する。

1580
疫病の精神史
——ユダヤ・キリスト教の穢れと救い
竹下節子
近代の衛生観念を先取りしたユダヤ教、病者に寄り添い「救い」を説くキリスト教。ペストからコロナまで、疫病と対峙した人類の歴史を描き、精神の変遷を追う。

1193
移民大国アメリカ
西山隆行
止まるところを知らない中南米移民。その増加への不満がいかに米国社会を蝕みつつあるのか。米国の移民問題の全容を解明し、日本に与える示唆を多角的に分析する。

1258
現代中国入門
光田剛編
あまりにも変化が速い現代中国。その実像を政治史、文化、思想、社会、軍事等の専門家がわかりやすく解説。歴史から最新情勢までバランスよく理解できる入門書。

1311
アメリカの社会変革
——人種・移民・ジェンダー・ＬＧＢＴ
ホーン川嶋瑤子
「チェンジ」の価値化——これこそがアメリカ文化の柱である。保守とリベラルのせめぎあいでダイナミックに動く、平等化運動から見たアメリカの歴史と現在。

1331
アメリカ政治講義
西山隆行
アメリカの政治はどのように動いているのか。その力学を歴史・制度・文化など多様な背景から解説。アメリカン・デモクラシーの考え方がわかる、入門書の決定版。